129

FRANK N. DAUSTER

HISTORIA DEL TEATRO
HISPANOAMERICANO

Siglos XIX y XX

EDICIONES
DE ANDREA

HISTORIA LITERARIA DE HISPANOAMERICA—IV

HISTORIA DEL TEATRO
HISPANOAMERICANO
Siglos XIX-XX

HISTORIA LITERARIA DE HISPANOAMERICA

8 tomos

Director: Pedro F. de Andrea

Tomo   I: *Historia de la novela hispanoamericana,* cª ed., *por Fernando Alegría.*

Tomo II: *Historia del cuento hispanoamericano,* por Luis Leal.

Tomo III: *Historia del teatro hispanoamericano,* época colonial, por José Juan Arrom.

Tomo IV: *Historia del teatro hispanoamericano* (XIX.XX), por Frank N. Dauster.

Los demás tomos en prensa o en preparación.

HISTORIA DEL TEATRO HISPANOAMERICANO

Siglos XIX y XX

Por

FRANK N. DAUSTER

Universidad de Rutgers

EDICIONES
DE ANDREA

MEXICO — 1966

Primera edición, 1966

PALABRAS INICIALES

El presente volumen es el resultado de varios años de estudio del proceso teatral de Hispanoamérica, proceso que mientras más nos acercamos al momento actual, mayor profundidad y riqueza cobra. Estamos en pleno renacimiento de la dramaturgia hispanoamericana. Que se entienda bien; al decir renacimiento, lejos estamos de querer empequeñecer el valor de los que han constituido siempre el núcleo del teatro. Ha habido teatro en Hispanoamérica desde mucho antes que llegaran los primeros conquistadores para pasmarse ante la cultura de los derrotados. Queremos afirmar, no obstante, que jamás ha habido en ese continente y medio un caudal de dramaturgos y directores de la calidad de los que actualmente están creando un auténtico teatro hispanoamericano. Añadiremos que un caudal no solamente no igualado en la historia de la cultura hispanoamericana, sino un caudal capaz de codearse con los mejores de otras culturas, sin miedo ni desdoro.

Al trazar el panorama general de más de siglo y medio, se tropieza con toda clase de problemas formales. ¿Cómo organizar tal panorama? ¿Por países, por períodos, por géneros? Todas estas resoluciones se han intentado, en algunos casos con alto grado de éxito, pero todos tienen también su pero. Si dividimos nuestro recorrido general por países, es muy factible que el lector pierda de buenas a primeras el sentido orgánico del proceso estético, sentido que existe en Hispanoamérica aun cuando algunos países no tengan concepto de lo que se está realizando en otros. Si optamos por dividirlo en períodos fijos, echa a perder la cronología, ya que el proceso orgánico no es rígido, ni mucho menos. Si salvamos el escollo empleando el método de los géneros, no hay manera de seguir el desarrollo de un dramaturgo, un país o una época.

Frente a este laberinto sin salida, hemos optado, para bien o para mal, dividir la parte relativa al siglo XIX cronológicamente, distinguiendo entre la época de la Independencia, que demuestra señaladas características, y la época romántico-realista, ya que estas dos tendencias coexisten durante gran parte del siglo. En lo que se refiere al siglo XX, o más bien, al período moderno, ya que tiene sus antecedentes en las postrimerías del siglo pasado, optamos por una división según movimientos nacionales, en períodos correspondientes a diversas etapas del proceso de cada país, o en el caso del Uruguay y la Argentina, la unidad cultural conocida por el Río de la Plata. Al hacer esto, y enfrentarnos con la necesidad, *velis nolis,* de hablar de las generaciones, hemos empleado las divisiones trazadas magistralmente por José Juan Arrom en su *Esquema generacional de las letras hispanoamericanas* (Bogotá, Instituto Caro y Cuervo, 1963), tomando en cuenta, como dice Arrom, que las generaciones inclinan pero no fuerzan.

A todos los que han influido de alguna manera en la preparación de este libro, va dedicado este volumen. A José Juan Arrom y José Vázquez Amaral, maestros y amigos, que primero enderezaron mis pasos por estas veredas y luego me han ayudado generosa y constantemente; a Pedro F. de Andrea, infatigable amigo de la cultura; a mi esposa Helen, cuya ayuda y amor han hecho posible llevar a cabo esta tarea larga y muchas veces desesperante. Al Consejo de Investigaciones de la Universidad de Rutgers, que ha patrocinado la preparación de este libro; a la Sra. Ester de Tato, quien pasó a máquina el manuscrito y lo revisó cuidadosamente; a José Tato, que ayudó profundamente en esta tarea nada grata. Y finalmente, a los dramaturgos, a los que conozco y a los demás, dedico este libro como homenaje y en agradecimiento de su contribución a esa maravilla que es el teatro.

F. D.

I. LA EPOCA DE LA INDEPENDENCIA

El período de las Guerras de Independencia es, en lo que al teatro atañe, punto menos que tierra yerma. El repertorio era casi exclusivamente extranjero, con predominio de Alfieri, Addison, Moreto y Quintana. Es el triunfo definitivo del neoclasicismo sobre la zarzuela grande. Por otra parte, los mejores poetas neoclásicos apenas se ocupaban del teatro, y en la mayoría de Hispanoamérica arrastraba el teatro una vida bastante precaria. Donde más actividad había era en la Argentina, y ya para 1830 entra en decidida decadencia cuando comienza a despertar de su letargo el teatro de los otros países americanos.

Esta temporada argentina tiene características muy especiales, siendo esencialmente neoclásica con la particularidad de que el concepto moralista se convierte en prédica política. El nuevo gobierno quiso aprovechar las posibilidades propagandísticas; se formó la Sociedad del Buen Gusto (1817) con el doble propósito de alzar el nivel del espectáculo teatral mediante la corriente afrancesada, neoclásica y racionalista, y de emplear el teatro como instrumento político. Duró poco la Sociedad, y las obras estimuladas son poco trascendentes, pero provocó la afición teatral en sectores sociales que la desconocían, hecho que en tiempos de Rosas redundaría en contra del buen teatro. Muy de paso, interesa que en la Argentina el gobierno estimulara el teatro como arma de combate, mientras que en Chile, José Joaquín de Mora trataba de alentar la comedia por considerarla género calmante en una época acalorada.

Este movimiento rioplatense no se distingue por su calidad estética, pero hay algunas excepciones relativamente honrosas. *El 25 de Mayo* del actor peruano LUIS AMBROSIO MORANTE (1782-1836), es pieza argentina por su contenido, su ubicación histórica y su estilo, típico del momento. Adaptada de fuentes francesas, la obra, como se desprende del título, se debe a circunstancias políticas. También cuenta Morante con traducciones y arreglos varios; entre éstos una versión de la historia de Siripo, *Siripo y Yara*, pero lo más interesante de su haber es *Tupac Amarú* (1821), versión rousseauniana de la rebelión incaica de 1780. A pesar de ex abruptos políticos, hay un núcleo de fuerza dramática medio escondido entre el bagaje verbal y el americanismo deliberado, típicos del momento, que se ha calificado de neoclasicismo jacobino. Sobradamente merecido es el

7

apodo, ya que la obra más estruendosa del momento es *La Camila* o *La patriota de Sud América*, del fraile chileno CAMILO HENRI-QUEZ (1760-1825), producto del arraigado antiespañolismo de su autor. Su efímero valor dramático se aprecia al resumir la inverosímil historia: una joven y su familia se refugian entre los indios, cuyo cacique —educado nada menos que en Estados Unidos— presiona a la niña a que se case con un consejero suyo. Resulta que éste es el novio de la muchacha y que todo ha sido una broma del cacique. A pesar de lo pesado que se nos antoja hoy, este indigenismo diluido se delata en muchas otras obras de la época, como en la tragedia *Molina* (1823) de MANUEL BELGRANO (1806-1839), sobrino del general, quien retrata los amores de un conquistador con una virgen del Sol de la corte de Atahualpa. Ya en los albores del romanticismo, el poeta cubano JOSE MARIA HEREDIA (1803-1839) escribe tragedias neo-clásicas como *Los últimos romanos, Atrio o Eduardo IV*, traduce obras extranjeras del mismo corte, y sin embargo, escribe *Moctezuma* y proyecta la tragedia de *Xicotencatl*.

Ultimo retoño del neoclasicismo rioplatense es el argentino JUAN CRUZ VARELA (1794-1839). Poeta de marcada tendencia román-tica, llegó a ser corifeo oficial, y en su teatro resuena la intención política. Tanto *Dido* (1823) como *Argía* (1824) se subyugan rigurosamente a los preceptos neoclásicos. Basada en la *Eneida, Dido* estudió el conflicto entre el deber y la pasión siguiendo los modelos franceses; *Argía*, más sobria y menos estática, se basa en dos obras de Alfieri. El teatro de Varela es amanerado y carente de acción dramática.

El teatro rural comenzado ya con *El amor de la estanciera* hacia fines del siglo XVIII sigue vigente en dos obritas, *El detalle de la acción de Maipú* (1818) y *Las bodas de Chivico y Pancha* (1823). Aquélla es en gran parte narrativa caracterizada por un furibundo antiespañolismo de su anónimo autor, actitud expresada en un lenguaje popular muy crudo. *Las bodas...*, cuyo desconocido autor se apellidaba Collao, aunque directa y bastante rudimentaria, es más dramática. En la diferenciación lingüística se asoma el distingo entre la clase rural educada y la pobre, tema que sería de predilección en el teatro rioplatense a fines del siglo. Curiosidad de la época, aunque exentas de auténtico interés dramático, son las furibundas sátiras conservadoras del P. FRANCISCO CASTAÑEDA (1776-1832). Son tan artificiosas como las obras de sus contrincantes, aunque mucho más divertidas, comicidad no del todo deliberada de parte del airado predicador.

En México, las tablas estaban dedicadas casi enteramente a tra-ducciones, zarzuelas y óperas. El indigenismo, no obstante, tuvo su representante en FRANCISCO LUIS ORTEGA (1793-1849), autor

de *Camatzín* y un melodrama patriótico, *México libre*. JOSE JOA-
QUIN FERNANDEZ DE LIZARDI (1776-1827), *El pensador mexicano*, escribió varias obras algo menos moralizantes que su obra
novelística, entre ellas un *Auto mariano*, una pastorela en dos actos,
y el *Unipersonal* (o monólogo dramático) de *Agustín de Iturbide*.
Muy recientemente se descubrieron los manuscritos de la perdida
primera edición de *La tragedia del Padre Arenas*, alegoría a base
de un conocido proceso político, un desconocido *Unipersonal del ar-
cabuceado*, y *El negro sensible*, de poco interés teatral pero revelador
del liberalismo antirracista de su autor.

Colombia tiene varias figuras de cierto interés. En las obras de
MARIO CANDIL (1789-?), sobre todo *La ilusión de un enamorado*
(1813), vemos una prefiguración del romanticismo en el sueño idea-
lizado y el tema sacado de la cuentística infantil. También apunta hacia el enlace entre dos escuelas JOSE FERNANDEZ MADRID (1789-
1830); su teatro político de tema indigenista (*Guatimocín* y *Atala*,
las dos de 1825) tiene forma neoclásica, pero el indigenismo sentimental deja descubierto el romanticismo lacrimoso. Quizá el más vigente hoy de este grupo sea LUIS VARGAS TEJADA (1802-1829),
neoclásico y autor de cinco tragedias indigenistas afrancesadas, de
poco movimiento dramático y fuerte sabor seudoclásico. Vale por la
comedia *Las convulsiones* (1828), sátira de las fingidas indisposicio-
nes de las damas imitada a *Convulsioni* de Capacelli. De comicidad
algo gruesa, es representable todavía.

BIBLIOGRAFIA. Margaret V. Campbell, *The development of the national
theater in Chile to 1842*, Gainesville. U. of Florida, 1958; Raúl H. Castagnino,
Milicia literaria de Mayo, B. A., Edit. Nova, 1960; Julio Durán Cerda, "El
teatro en las tareas revolucionarias de la Independencia de Chile", *Anales de
la Universidad de Chile*, 119 (tercer trimestre, 1960), 227-235; Pedro Henríquez
Ureña, Nicolás Rangel y Luis G. Urbina, *Antología del Centenario. Primera
parte (1800-1821)*, vol. II, México, León Sánchez, 1910: Harvey L. Johnson,
"Nuevos datos sobre el teatro en la Ciudad de Guatemala (1789-1920)". *Rev.
Iberoamericana*, XV, 32 (agosto 1950), 345-386; Ernesto Morales, "1810-1830:
Panorama del teatro", *Cuadernos de Cultura Teatral*, 13 (1940), 65-90; *Teatro
gauchesco primitivo*, edit. Juan Carlos Ghiano, B. A., Losange, 1957.

II. SIGLO XIX: ROMANTICISMO
Y COSTUMBRISMO Satira

Si el romanticismo se da en Hispanoamérica como movimiento que declara, desde cierto punto de vista, la independencia literaria de España, en el teatro conserva la doble influencia francesa y española del siglo anterior. Los dramaturgos más prestigiosos siguen siendo los extranjeros: García Gutiérrez, Hugo, Dumas, el Duque de Rivas, además de la influencia de pensadores como Larra y Rousseau. Complica el panorama un factor de suma importancia: las diversas historias políticas y estéticas que, si caben de modo general dentro del cuadro global, añaden un matiz distintivo a cada región. Si a estos factores agregamos el hecho de que los dramaturgos del siglo pasado eran casi por definición poetas o novelistas que cultivaban el teatro esporádicamente, entenderemos mejor el cuadro muy irregular que se nos presenta. El típico desarrollo va del seudoclasicismo al melodrama romántico para desembocar en el costumbrismo crítico, pero este desarrollo se encuentra sujeto a toda clase de variantes. Debido a estos factores, es de muy poca ayuda la división normal en dos corrientes, y hemos preferido estudiar la producción teatral de este abigarrado período por países.

En México, las divisiones políticas posteriores a la Independencia no rompieron la básica continuidad cultural. Gracias en gran parte a los esfuerzos de Altamirano, clásicos y románticos, conservadores y liberales, convivían en academias y sociedades literarias, hecho que ayuda a entender la coexistencia en la misma época de tendencias muy diversas. El repertorio es fundamentalmente español hasta el fugaz imperio de Maximiliano; con él llega en toda su furia la imitación de lo francés, que pronto se troca en la verdadera manía del teatro frívolo a lo Offenbach. No obstante, cuenta México con varios dramaturgos de categoría. Entre los románticos, destacan dos: * FERNANDO CALDERON (1809-1845) e IGNACIO RODRIGUEZ GALVAN (1816-1842). Es éste el romántico por excelencia; su vida es una serie de tristezas que acaba con su muerte prematura, desamparado y lejos de su patria. Sus cuatro obras dramáticas bien pudieran servir de paradigma del teatro romántico americano: acción exageradamente violenta, muertes, raptos, lágrimas y suspiros. Típica es su adaptación de las hazañas del infame *Muñoz, visitador de México* (1838). Si nos parece hoy demasiado cargada, hay que

11

recordar que tampoco el teatro europeo de la época se distinguía por la mesura. Menos dotado como poeta, pero mejor dramaturgo, por lo menos en su obra capital, fue Fernando Calderón. Es el caso curioso de un romántico furibundo cuya mejor obra está dentro de la trayectoria que va del neoclasicismo pedagógico al costumbrismo. *Hermán o la vuelta del cruzado* (1842), *Ana Bolena* (1842) y *El torneo* (1839) son rigurosamente románticas, indistinguibles de las obras de Scott y otros que servían de modelos a todo el movimiento teatral hispanoamericano del momento; la acción heroica y el ambiente medieval europeo le han valido a Calderón ser caracterizado como ejemplo clásico de la evasión romántica. En su estudio de *Muerte de Virginia por la libertad de Roma*, basada en la *Virginia* de Alfieri, Francisco Monterde avanza la hipótesis de que esta evasión se debiera a la necesidad de enmascarar la crítica sociopolítica en un momento peligroso. Efectivamente, en el teatro de Calderón se vislumbran paralelos a la difícil situación política de la época. De todos modos, su mejor obra es una comedia ligera y todavía deliciosa, *A ninguna de las tres* (1839?). En esta contestación a *Marcela o ¿a cuál de las tres?* de Bretón de los Herreros, Calderón satiriza la deficiente educación de las mujeres, sin perder la oportunidad de mofarse del romanticismo sentimentaloide y la afectación. Blanco especial de sus saetas es el pelele afrancesado, don Carlos. Han pasado muchas bogas literarias, pero *A ninguna de las tres* sigue siendo excelente comedia costumbrista.

LECTURAS. *A ninguna de las tres*, México, Biblioteca del Estudiante Universitario. 1944, est. prelim. de Francisco Monterde.

BIBLIOGRAFIA. Ruth Lamb y Antonio Magaña Esquivel. *Breve historia del teatro mexicano*, México, Manuales Studium-8, 1958, 62-65; Francisco Monterde, "Una evasión romántica de Fernando Calderón", *Rev. Iberoamericana*, XVII, 33 (feb. 1951), 81-89.

Decididamente neoclásico es el soldado y diplomático *MANUEL EDUARDO DE GOROSTIZA (1789-1851). Residente en España e Inglaterra entre 1794 y 1833, Gorostiza se siente profundamente mexicano y se entrega al servicio de su país. Su numerosa producción dramática lo coloca entre el riguroso neoclasicismo de Moratín y el moralismo ameno de Bretón de los Herreros; sin ser esclavo de las unidades y el austero convencionalismo, se caracteriza por el propósito moralizante y la casi completa ausencia de referencias regionales o nacionales. Sus mejores comedias incluyen *Indulgencia para todos* (1818), divertida lección de tolerancia, *Las costumbres de antaño* (1819), regocijado juguete cuya moraleja —hay que vivir en el presente y dejar de añorar lo pasado— no interfiere con el éxito cómico, y *Don Dieguito* (1819), sátira de los lisonjeros por interés y la vanidad estúpida. La obra maestra y más conocida de Calderón, *Contigo pan y cebolla* (1830), emplea su recurso predilecto, la intriga fingida, para satirizar a las jóvenes románticas que sueñan con marido noble, pero pobre. El pretendiente rico a quien rechazaba la joven se convierte en el amante de sus sueños cuando pierde la fortuna, pero la romántica pobreza pronto decepciona a la niña, quien acepta alegremente la noticia de que todo ha sido un ardid para enseñarle lo que es la vida. A veces los personajes de Gorostiza más tienen de caricatura que de carácter, y volvía a manejar los mismos recursos con frecuencia, pero la risa no decae. Es, sin duda alguna, uno de los maestros del género cómico.

LECTURAS. *Indulgencia para todos*, México, Biblioteca del Estudiante Universitario, 1942, pról. de Mario Mariscal; *Teatro selecto*, ed., pról. y notas de Armando de Maria y Campos, México, Porrúa, 1957.

BIBLIOGRAFIA. Ruth Lamb y Antonio Magaña Esquivel, *Breve historia del teatro mexicano*, México, Manuales Studium-8, 1958, 56.62; A. Magaña Esquivel "Manuel Eduardo de Gorostiza y su obra dramática", *Estaciones*, 1956, 1, 85-91: Armando de Maria y Campos, *Manuel Eduardo de Gorostiza y su tiempo*, México, 1959; Emma Susana Speratti Piñero, "El teatro neoclásico en la literatura mexicana: *Indulgencia para todos* de Manuel Eduardo de Gorostiza", *Rev. Iberoamericana*, XIX, 38 (sept. 1954), 326-332.

A medida que avanza el siglo, el teatro mexicano sufre los acostumbrados altibajos; poco menos que moribundo en un momento, debido al apogeo del can-can y la ópera, en otro momento florece, frecuentemente con apoyo del gobierno. No deja de ser interesante que el mismo gobierno que estimulara el florecimiento de 1875, persiguió y encarceló a un dramaturgo valiente, si no muy talentoso, Alberto Bianchi, porque escribió *Los martirios del pueblo*, contra la leva, uno de los recursos más inicuos del totalitarismo. Aunque ensayaba teatro cuanto escritor había, el panorama resultante ofrece muy poco de verdadero interés. ALFREDO CHAVERO (1841-1906) confeccionaba zarzuelas, óperas cómicas, obras históricas; JOSE ROSAS MORENO (1838-1883) seguía la línea romántica en sus obras mayores y hacía bocetos satíricos costumbristas. En su obra asoma el temario social que desemboca en *El pasado* (1872), violento maridaje de romanticismo amargado y drama de tesis del malogrado poeta MANUEL ACUÑA (1849-1873). Hacia fines del siglo, MANUEL JOSE OTHON (1858-1906) remedaba a Echegaray en obras que sufren del abuso melodramático y convencionalismo de carácter, escondiendo las capacidades que le colocan entre los mejores poetas del siglo. Se salva por una graciosa obrilla, *Viniendo de picos pardos*, monólogo que ofrece fuerte contraste con sus obras mayores.

El más importante dramaturgo mexicano del período es el médico alienista y senador conservador JOSE PEON Y CONTRERAS (1843-1907), en cuya obra se asoma el realismo vestido a lo Zorrilla.

Moderado, ortodoxo y tradicionalista, le molestaban los excesos románticos. Limpiaba y flexibilizaba, eliminando la fantasía, apegándose a la verdad histórica e individualizando los personajes. Desafortunadamente, le faltaba el sentido histórico-popular; su nacionalismo es puramente exterior, de asunto. Predomina la tendencia esquemática; sus personajes son seres de detalle inmediato, pero sin otro significado más que su propia existencia. Todo lo anterior se ve en su mejor obra, *La hija del rey* (1876), estudio casi clínico del tema de padre e hijo enamorados de la misma mujer. Romántico al fin, resolvió el asunto haciendo que el padre matara al hijo mientras enloquecía la niña.

La larga tradición satírica del Perú ofrece dos dramaturgos de interés mayor en el siglo xix: * FELIPE PARDO Y ALIAGA (1806-1868) y * MANUEL ASCENSIO SEGURA (1805-1871). Costumbristas los dos, manifiestan decidida actitud satírica, característica señalada de la dramaturgia limeña colonial. Fuera de esta circunstancia, la obra de los dos deja ver una oposición raigal. Pardo y Aliaga es conservador empedernido, neoclásico aristócrata y europeizante. Todas sus obras intentan enseñar; la mejor es *Los frutos de la educación* (1829), visión de lo que debiera ser la educación femenina. Dado el carácter implacable de su autor, la orientación es obvia: educarla para el casamiento. Ascensio Segura es todo lo opuesto; liberal, limeño y encantado de serlo, hizo un teatro mucho más vivo, más popular, que el de Pardo y Aliaga. A pesar del típico aparato costumbrista neoclásico —la comedia en verso, las unidades, la moraleja—, sus comedias rezuman vida. Prueba de ello es el hecho de que mientras más se mofaba de la sociedad de su momento, más le aplaudían. En *El sargento Canuto* (1839) se burla del soldado fanfarrón, de rancio abolengo; *La moza mala* (1842) es una mofa de los viejos que buscan enamorar a jóvenes. Lo mejor de su cosecha es *Ña Catita* (1856), verdadera aguafuerte de una vieja enredadora emparentada con Trotaconventos y la Celestina. Aunque hay momentos de sátira política, la obra de Segura sigue gustando, sobre todo por su alborozo de raíz popular.

LECTURAS. *El sargento Canuto*, en Willis K. Jones, *Antología del teatro hispanoamericano*, México, Antologías Studium-5, 1959; *Ña Catita*, en Hyman Alpern y José Martel, *Teatro hispanoamericano*, New York, Odyssey, 1956.

BIBLIOGRAFIA. Agustín del Saz, *Teatro hispanoamericano*, v. 1, Barcelona, Vergara, 1963, 213-216; Luis Alberto Sánchez, *El señor Segura, hombre de teatro*, Lima, 1947.

Segura y Pardo Aliaga no son los únicos dramaturgos peruanos, ni mucho menos, pero al lado de su regocijo satírico, palidecen los demás, entre quienes merecen señalarse ABELARDO GAMARRA

(1857-1924), costumbrista bastante rutinario, y MANUEL CORPAN-
CHO (1800-1863), romántico exaltado y típico, como se colige de los
títulos de sus *Poeta cruzado* y *Templario*.

A través de la colonia, el teatro cubano está muy emparentado
con el español, y la inmensa mayoría de las obras es también española; con el siglo XIX aumenta la actividad de los dramaturgos nativos. En 1838 se representó en La Habana *Don Pedro de Castilla*,
del refugiado dominicano FRANCISCO JAVIER FOXA (1816-1865);
de ser dicha obra de 1836, como se ha afirmado, sería la primera
obra romántica del teatro americano. Entre los cubanos, romántico
también es JOSE JACINTO MILANES (1814-1863). Su obra más
conocida, *El Conde Alarcos* (1838), es de tema medieval, basándose
en el romance del mismo título, mientras que *El poeta en la corte*
(1840) maneja asunto dilecto de los románticos: poeta joven, niña
linda, duque salaz. Tanto éstas como sus otras obras dramáticas demuestran un romanticismo ecléctico y relativamente moderado. En
vez de los acostumbrados transportes iracundos, peca Milanés por lo
lánguido.

Coetáneo de este romanticismo temprano es el teatro menor de
FRANCISCO COVARRUBIAS (1774-1856). Nacionalizó el sainete
adaptándolo a tipos populares cubanos. Sus obras están perdidas, pero establecieron los cimientos del teatro popular cubano que tan larga
vida ha gozado, llegando a ser durante gran parte del siglo XIX casi
un monopolio en ciertos teatros.

Pero estas figuras se empequeñecen al lado de la impetuosa
** GERTRUDIS GOMEZ DE AVELLANEDA (1814-1873), cuya
vida apasionada y romántica queda reflejada en su tempestuoso teatro. A pesar de vivir la mayor parte de la vida en España, es auténticamente cubana y pertenece a las dos literaturas. El suyo no es
un teatro furibundo, sino de un romanticismo bastante purificado,
cuya violencia está en las pasiones que atormentan a los personajes, y no en la gratuita acción física. Logró suprimir en gran parte
el lastre retórico del romanticismo; escasean en sus obras los amo-
ríos largos y los celos de rutina. Construye, al contrario, obras de
arquitectura sólida e interés psicológico. *Baltasar* (1858), versión
del asunto bíblico de Daniel y Nabucodonosor, es casi estudio psicológico; podemos decir lo mismo aun cuando hurga en el Medioevo
tan grato a los románticos, como en su *Munio Alfonso* (1844). En vez
de imitar ciegamente la arrebatada matanza pundonorosa, trata de
adentrarse en el conflicto para entenderlo y explicarlo; es verdade-
ramente admirable encontrar tal perspicacia psicológica y tal creación
de personajes en una época tan poco adicta a estas cualidades. Sus
otras obras siguen igual línea, con excepción de la comedia *La hija*

de las flores (1852), de estructura lopesca, donde evita la mano fuerte que tan lamentablemente caracteriza el teatro romántico y salva el convencionalismo por la gracia y la creación de carácter. El subtítulo, *Todos están locos*, indica la total falta de propósito serio de esta encantadora obrilla.

LECTURAS. *Baltasar, Munio Alfonso, La hija de las flores*, en *Obras literarias*, Madrid, Rivadeneyra, 1869-1871, v. 2 y 3.

BIBLIOGRAFIA. José Juan Arrom, *Historia de la literatura dramática cubana*, New Haven, Yale U., 1944, 54-57; Mercedes Ballesteros, *Vida de la Avellaneda*, Madrid, Cultura Hispánica, 1949; Emilio Cotarelo y Mori, *La Avellaneda y sus obras*, Madrid, Tipografía de Archivos, 1930; Edwin B. Williams, *The life and dramatic works of Gertrudis Gómez de Avellaneda*, Philadelphia, U. of Pennsylvania, 1924.

A través del siglo iba afianzando su popularidad el género ligero trabajado por Covarrubias. José Agustín Millán creó un teatro satírico de actualidades, mientras Bartolomé Crespo y Borbón, de seudónimo Creto Gangá, se especializaba en el sainete de negros, cuyo principal recurso cómico era la deformación lingüística. Nada de racismos; mediante el dialecto de los cubanos de origen africano, se burlaba del gobierno, de la esclavitud y otros temas importantes para su público humilde y numeroso. Aguda debía ser la burla de este teatro popular cuando provocó en 1869 que los voluntarios españoles, indignados por el tono insurreccionista de la obra que presenciaban, disparasen contra el público que aplaudía. Poco a poco este teatro "bufo" iba fijando tipos populares, a la vez que desplegaba música y bailes populares, cubanizándose cada vez más hasta llegar a ser a fines del siglo el género más gustado, exactamente cuando pasaba fenómeno idéntico en el Río de la Plata.

La pervivencia del sistema colonial imprime un colorido muy especial también al teatro cubano serio de las últimas décadas del siglo. Mientras el romanticismo tardío arrastraba una muerte lenta, cobraba vigor el teatro social de problemática nacional. Militaba dentro de esta tendencia JOSE DE ARMAS Y CARDENAS, naturalista al estilo francés. Su obra mayor, *Los triunfadores* (1895) es aguafuerte sin diluir, retrato desnudo de la hipocresía y la voracidad de la alta sociedad; sufre de las debilidades casi innatas del teatro social del xix: manejo forzado del trama, exageración de personaje, en especial del portavoz del autor. No obstante, es una de las mejores obras de su tipo. Con menos éxito también cultivó el teatro social JOSE MARTI (1853-1895), autor de *Abdala* (1869), patriotismo retórico, y *Adúltera* (1873), obra moral simbólica. Lo más fresco de su haber dramático es el juego teatral sin propósito moralizante, *Amor con amor se paga* (1875).

Las vecinas islas antillanas también ostentaban cierta actividad teatral durante el siglo XIX; vimos que el romanticismo en el teatro tiene uno de sus primeros representantes en el *Don Pedro de Castilla* del dominicano FRANCISCO DE JAVIER FOXA (1816-1865), autor asimismo de *El templario* (1838), *Ellos son* y *Enrique VIII* (1839). El teatro dominicano, aunque no muy abundante, no se reducía a la producción de los emigrados; de 1867 es *Iguaniona* de JAVIER AN-GULO GURIDI, obra de evidente sentido político cuyo indigenismo más tiene de pundonor calderoniano que de auténtico espíritu autóctono. En Puerto Rico la actividad era muy esporádica hasta mediados del siglo, cuando surgieron varios dramaturgos románticos. ALEJANDRO TAPIA Y RIVERA (1826-1882) es autor de varias obras histórico-románticas, entre ellas la primera obra puertorriqueña escenificada, *Roberto D'Evreux*, escrita en 1848 y estrenada ocho años después. Otro de interés es SALVADOR BRAU (1837-1912), cuyos temas predilectos eran históricos y extranjeros. No obstante, su obra más conocida es *La vuelta al hogar* (1877), basada en las andanzas de un pirata de la isla, y vuelta a representar con éxito en pleno 1961. Es en esta época que encontramos los comienzos del teatro jíbaro o regional, en las farsas de RAMON MENDEZ QUIÑONES (1847-1889). Se han descubierto antecedentes, como *La juega de gallos* (1852) de R. C. F. Caballero, pero con *Un jíbaro como hay pocos* (1878) comenzó Quiñones a atraer al público humilde. Toda su producción queda caracterizada por la comicidad fresca dentro de la intención moralizante; para alabar la vida campesina crea cuadros pintorescos, vivos todavía.

Perfil especial es el que ostenta Chile. Aunque la más antigua obra conocida del teatro chileno es el anónimo *Hércules chileno* de 1693, muy poca actividad había hasta bien entrado el siglo XIX. Germinaba el movimiento desde 1802, cuando comenzó a manifestarse cierta actividad gracias al apoyo del gobernador Muñoz de Guzmán y en 1812 Camilo Henríquez pedía un teatro que expresase la realidad nacional. El resultado inmediato fueron unas temporadas esporádicas de teatro neoclásico extranjero, y los carteles reflejaban los apellidos consabidos: Addison, Quintana, Alfieri, y algo después, Dumas, Hugo y Larra. A partir de 1819 el gobierno de O'Higgins estimulaba el teatro, contando, entre otros, con diversos españoles vencidos como el sargento Francisco Cáceres, quien había de convertirse en uno de los más estimados actores chilenos. Invitaron al famoso actor Morante a que hiciera unas temporadas, y con la llegada de los proscritos argentinos en 1841, se intensificó el movimiento, aun cuando apenas eran unas cuantas las obras de autor chileno y ellas de reducido interés dramático. A raíz de la famosa polémica del romanticismo, de 1842, dos jóvenes, RAFAEL MINVIELLE (1800-1887) y CARLOS BELLO (1815-1854) escribieron *Ernesto* y *Los Amores del poeta,* respectivamente. *Los amores del poeta* cumple la promesa de su título: hermosa viudita, poeta enamorado, rival celoso, duelo y lágrimas. *Ernesto* es distinto; sufre de males de época, pero trata el caso de conciencia de un joven oficial español que se adhiere a la causa americana.

El comediógrafo chileno más importante del siglo es * DANIEL BARROS GREZ (1834-1904), autor de unas veinte piezas, casi todas ellas comedias acerca de las veleidades amorosas de la clase media. Se destacan por su graciosa picardía *Cada oveja con su pareja* (1879), *El casi casamiento* (1881) y *Como en Santiago* (1875), sátira del arribismo provinciano. Mejor conocido como novelista, ALBERTO BLEST GANA (1830-1920) es autor de la comedia *El jefe de la familia,* escrita en 1858, pero estrenada apenas en 1959. Esta vigorosa y poco conocida sátira del marido apocado y la mujer emprendedora y exigente proporciona sorprendente interés todavía.

Durante el último cuarto del siglo hubo actividad inusitada; el apoyo oficial y el estímulo de numerosas compañías extranjeras contribuyeron al estreno de unas doscientas obras chilenas durante estas dos décadas y media, aun cuando no surge ningún dramaturgo de auténtico interés internacional. No obstante, hay varios que merecen incluirse en este sucinto estudió que trazamos, entre ellos ROMAN VIAL (1833-1896), autor de sátiras cómicas como *Choche y Bachicha* (1870), *Una votación popular* (1870) y algunas más. También autor de juguetes costumbristas, lo mismo que de dramas cultos, fue ANTONIO ESPIÑEIRA (1855-1907), cuyo mayor éxito estriba en el espíritu popular de un sainete como *Chincol en Sartén* (1876). Autor de dramas didáctico-costumbristas en verso fue JUAN RAFAEL ALLENDE (1850-1909); tuvo su representante el romanticismo exacerbado en *La Quintrala* (1883), versión lóbrega y sobrecargada de tema colonial, de DOMINGO ANTONIO IZQUIERDO (1860-1886). La obra más apreciada por la crítica chilena del momento y considerada por muchos una de las obras maestras de la dramaturgia chilena, además de rabioso éxito popular, es *El tribunal del honor* (1877) de DANIEL CALDERA (1851-1896). Basada en hechos verídicos que provocaron gran escándalo, la obra se desarrolla según un concepto calderoniano, rígido, del honor, dentro de un ambiente plenamente romántico.

Cariz especial muestra también la Argentina durante este siglo. Muerto el empuje de la Sociedad del Buen Gusto, el apogeo del arte lírico y el predominio del repertorio español mantuvieron el teatro en condición sumamente precaria. El romanticismo encontró a los más distinguidos escritores en el destierro, y si todo mundo escribía por lo menos un drama, los productos ni tienen valor intrínseco ni influyeron mayormente en el desarrollo del teatro nacional. Este muy pronto se halló a merced de los corifeos de Rosas, y ya para 1840 se convertía en propaganda desvergonzada, como se colige de dos títulos anunciados en Buenos Aires: *Duelo de un federal con un salvaje unitario, en el que el primero degollará al segundo a vista del público* (1841) y, diez años más tarde, *El entierro del loco traidor, salvaje unitario Urquiza.* Con tales bocadillos se agasajó el paladar argentino durante más de un decenio.

En la obra de los proscritos se ven dos tendencias: el conflicto político y la manera típicamente romántica. Ni en una ni en otra logran contribuciones realmente valiosas. JUAN BAUTISTA ALBERDI (1810-1884) escribe *El gigante Amapolas* (1842), sátira antirrosista en un acto, y *La Revolución de Mayo* (1839), vehículo para ideas políticas. BARTOLOME MITRE (1821-1906) incursionó en el teatro sin mayor éxito con *Cuatro épocas* (1840), y JOSE MARMOL (¿1815?-1871) es autor de *El cruzado* y *El poeta*, las dos de 1842. La primera es típicamente exótica y medievalista; la segunda incluye los clisés consabidos del joven bueno y pobre que pelea con el rico y malo por el amor de una joven. Después de la caída de Rosas, PEDRO ECHAGÜE (1828-1889) escribe sus retóricos dramas políticos como *Rosas* (1860), exaltado y sangriento, y obras románticas como *Amor y virtud* (1868). Pese a la actividad de Echagüe y algunos más, el teatro argentino había entrado en plena decadencia hacía veinte años.

En los demás países hispanoamericanos, el siglo XIX muestra cierta actividad esporádica, a lo sumo. En Bolivia, a pesar de su abundancia no ha dejado obras de interés duradero. En Colombia hubo bastante, aunque exclusivamente de escuela romántica. JORGE ISAACS (1837-1895) escribió tres dramas de valor puramente histórico; JOSE CAICEDO ROJAS (1816-1898) tendía hacia el realismo en obras de sabor literario, y JOSE MARIA SAMPER (1828-1888) hacía comedias costumbristas. Así es, más o menos, el panorama en el resto de Hispanoamérica: unas cuantas figuras que luchan por hacer teatro, sin grandes éxitos; dentro de mucha actividad, unos cuantos dramaturgos de enjundia rodeados de otros muchos justamente olvidados, con figuras aisladas como la del hondureño JOSE TRINIDAD REYES (1797-1855), cultivador de la pastorela de tipo de nochebuena. Para ver su auténtico florecimiento habremos de esperar la terminación del siglo.

BIBLIOGRAFIA. José Juan Arrom, "En torno al teatro venezolano", *Rev. Nacional de Cultura*, VII, 48 (enero 1945), 3-10; Mariano G. Bosch, "1830-1880: Panorama del teatro", *Cuadernos de Cultura Teatral*, 14 (1940), 27-59; Emilio Carilla, *El romanticismo en la América Hispánica*, Madrid, Gredos, 1958; Raúl Castagnino, *El teatro en Buenos Aires durante la época de Rosas, 1830-1852*, B. A., Com. Nacional de Cultura, 1944; Roberto F. Giusti, "Estudio histórico-literario del teatro venezolano en el siglo XIX", *Rev. del Liceo Andrés Bello*, II,

1946, 34-64; Matilde Levy, *El extranjero en el teatro primitivo de Buenos Aires. Antecedentes hasta 1880,* B. A., Univ. de Buenos Aires, 1962; Francisco Monterde, *La dignidad en Don Quijote y otros ensayos,* México, Imp. Universitaria, 1959; Luis Ordaz, *Breve historia del teatro argentino, I. De la Revolución a Caseros,* BA., Edit. Universitaria, 1962; Luis Reyes de la Maza, *El teatro en 1857 y sus antecedentes,* México, Instituto de Investigaciones Estéticas, 1956; —, *El teatro en México entre la Reforma y el Imperio, 1858-1861,* México, Instituto de Investigaciones Estéticas, 1958; —, *El teatro en México durante el Segundo Imperio, 1862-1867,* México, Instituto de Investigaciones Estéticas, 1959; —, *El teatro en México en la época de Juárez, 1868-1872,* México, Instituto de Investigaciones Estéticas, 1961; —, *El teatro en México con Lerdo y Díaz, 1873-1879,* México, Instituto de Investigaciones Estéticas, 1963; —, *El teatro en México durante el Porfirismo. I, 1880-1887,* México, Instituto de Investigaciones Estéticas, 1964; Josefina Rivera de Alvarez, "Orígenes del teatro puertorriqueño", *Rev. del Instituto de Cultura Puertorriqueña,* 3 (abril-junio 1959), 20-25; Carlos Solórzano, *El teatro latinoamericano en el siglo XX,* México, Pormaca. 1964; *Teatro bufo.* Pról. de Samuel Feijoo. Santa Clara, Univ. Central de Las Villas, 1961.

III. INTRODUCCION AL TEATRO CONTEMPORANEO DE HISPANOAMERICA

A pesar de las fronteras políticas y del precario nivel cultural, causas de que muchos países no sepan lo que ocurre en otros, el proceso cultural hispanoamericano es uno, con el natural colorido regional ocasionado por la peculiar fisonomía política, étnica e histórica de cada nación o región. Este carácter unitario se nota en la prosa y en la poesía, y, si bien se mira, en el teatro también. A pesar de las diferencias, el proceso teatral de Hispanoamérica en el siglo xx tiene un perfil muy parecido entre una nación y otra.

Examinemos un momento este perfil, para comprobar las aseveraciones anteriores. Se podría dividir dicho proceso en tres momentos; en el primero, las tablas están dominadas por una mezcla no muy feliz del género chico, el realismo, frecuentemente de carácter social, y el romanticismo trasnochado estilo Echegaray. En muchas naciones hay bastante movimiento en este período, que corresponde a comienzos del siglo, para decaer después y yacer casi moribundo el teatro hasta fines de los años veinte o comienzos de los treinta. La excepción más señalada a esta regla es el teatro rioplatense, que alcanza su auge precisamente en la primera década del siglo, pero si se estudia bien, salta a la vista que este florecimiento más que excepción a la regla citada, es el resultado lógico de dicha regla cuando se lleva a su expresión más feliz y más concentrada.

El momento siguiente es el experimentalista, y comienza alrededor de 1930. Examinemos los detalles: México, Teatro Ulises, 1928; Río de la Plata, Teatro del Pueblo, 1930; Cuba, antecedentes de la Cueva, 1928. Aun en Puerto Rico, donde se arraiga este movimiento entre 1938 y 1941, sus raíces están en el despertar de la conciencia y el examen de ser de una promoción bautizada en Puerto Rico, de manera muy significativa, con el rótulo de la Generación de 1930. En algunos países se prolonga el intermedio entre los dos momentos hasta comienzos de la Guerra, pero a pesar de esta prolongación, es un solo movimiento orgánico.

El tercer período es el actual, la etapa de pleno florecimiento. Por florecimiento no queremos sugerir que hay en cada país hispanoamericano un bien desarrollado movimiento teatral de enjundia, con abundancia de estrenos nacionales, etc. Sí queremos decir que apenas hay país que no tenga valiosos dramaturgos, que no despliegue al-

guna actividad teatral de categoría, que no esté en fin produciendo
más y mejor teatro que en cualquier momento de su historia. Estamos presenciando el espectáculo de obras hispanoamericanas representadas y premiadas en muchos países extranjeros. El mejor teatro
extranjero se está representando en Hispanoamérica, y las gentes de
teatro viven despiertas a los movimientos y a las obras de otros países.
Un solo ejemplo: *Esperando a Godot*, de Beckett, se representó en
México antes de que fuera escenificado en Nueva York.

El actual cosmopolitismo del teatro hispanoamericano conduce
a que el crítico apenas pueda hablar de influencias, ya que son múltiples y muy extendidas. Si en los primeros años de la etapa experimental predominaba la estela de Pirandello, seguido después por Giraudoux, Lenormand, etc., después influyó fuertemente en muchos
dramaturgos el teatro poético de García Lorca, a la par que empezó
a difundirse el teatro de O'Neill, y durante muchos años la alta comedia benaventina establecía la pauta del teatro comercial. Pero a
partir de la Guerra, las jóvenes generaciones están atentas a todas las
corrientes, y se entremezclan las influencias de Miller, Williams, Beckett, Ionesco, Osborne, Brecht... Está influyendo enormemente en
el teatro actual la teoría del teatro épico formulada, aunque no siempre seguida ni mucho menos, por Brecht. La rapidez de escenas, el
empleo de cortes de cine o dibujos animados, la integración de baile,
canto y acción dramática, hasta la mezcla del humorismo negro y
elementos serios, la pregonada interrupción entre actor y público para que éste piense de manera consciente en el significado de la obra
en vez de identificarse con el personaje; todas estas características
están visibles en el teatro actual. Otra corriente de importancia es
el llamado teatro del absurdo, es decir, ese grupo de dramaturgos que
busca expresar a través de recursos antirrealistas su creencia de que
el hombre está desarraigado, que ha perdido el contacto con el significado de la existencia, que está, en fin, perdido en un mundo que
no tiene sentido. Este grupo está compuesto por dramaturgos radical-
mente diferentes entre sí, pero su actitud vital y su empleo del irrea-
lismo han influido mayormente en muchos dramaturgos actuales de
Hispanoamérica.

Por otra parte, estas influencias serían nulas, imposibles, si los
hispanoamericanos no viviesen en el mismo mundo en el que viven los
demás. Ya es una perogrullada decir que no es necesario haber leído
ni una página de Freud para delatar una arrolladora influencia freu-
diana. Lo mismo podemos afirmar de Joyce, Faulkner o Heidegger,
o en materia más rigurosamente teatral, de Camus, Ionesco, Beckett
y muchos más. Todas estas corrientes lo mismo reflejan que prefigu-
ran su tiempo, y la cuestión de las influencias, siempre debatible y
frecuentemente inútil, se ha vuelto ya peligrosa para el crítico. Había-

mos considerado que *Un hogar sólido* de Elena Garro representaba
una extraordinaria asimilación de la técnica de Ionesco, hasta saber
que las obras incluidas en dicho volumen fueron escritas antes de
haber conocido la autora la obra del dramaturgo rumano-francés.

El teatro actual de Hispanoamérica, pues, participa en el teatro
universal. Los dramaturgos están atentos a lo que pasa en su mundo
y a lo que pasa en el teatro. En un mundo que cambia con rapidez pasmosa pero excitante, los dramaturgos hispanoamericanos han
asimilado los aportes de la cultura universal para formular cada uno
su visión particular de su realidad. Ya no tiene sentido hablar de
universalistas y nacionalistas, porque estos jóvenes, mientras más se
universalizan, más americanos son. O para decirlo con palabras de
Celestino Gorostiza, son ciudadanos del mundo teatral, "con un pasa-
porte de su país y un visado de las naciones extranjeras".

IV. EL AUGE DEL TEATRO RIOPLATENSE:
1884-1930

Hacia fines del siglo xix, surge un nuevo movimiento estético frente a los últimos estertores de un romanticismo caduco. Este movimiento, el modernismo, condujo a un extraordinario florecimiento que ha enriquecido casi todos los géneros; nada más habría que repasar la larga lista de escritores de primera categoría, poetas, novelistas y ensayistas, para darse cuenta cabal de la importancia trascendental del movimiento. En el teatro, no obstante, el desarrollo es harto diferente. Aunque varios modernistas cultivaron de modo esporádico el género dramático, el carácter esencialmente esteticista del movimiento impedía que se produjera un teatro modernista de importancia; frente a la aventura de las tablas, los modernistas preferían pulir sus versos y sus novelas en soledad o dentro de los aplausos del cenáculo. Así que los últimos años del xix y los primeros del xx nos brindan, en términos generales, un panorama teatral harto triste: romanticismo tardío gastado, sobre todo la funesta sombra de Echegaray, endebles dramas líricos de escaso poder dramático, con algunos atisbos del realismo y aun del naturalismo. El repertorio era, casi siempre, de obras españolas, y se nutría malamente el teatro de lo que ofrecían las consabidas giras de compañías de España, abastecidas muchas veces del género chico casi exclusivamente.

A pesar de lo que acabamos de afirmar acerca del lamentable estado del teatro a comienzos del siglo xx, hay una excepción de importancia capital, ya que constituye el caso inaudito de un teatro autóctono, de raíces americanas, aunque su desarrollo posterior recibe influencias del teatro culto occidental. Se trata del llamado teatro rural rioplatense, expresión dominante de las tablas argentinas y uruguayas durante largo período y todavía de gran vigencia en forma rejuvenecida. Para entender este florecimiento, es necesario percibir las muy especiales condiciones sociales de la época, con los diversos factores que influían en la creación de este teatro. Hacia 1880 comenzó en Buenos Aires una súbita europeización, aliada con el rápido progreso material. La que antes era la "Gran Aldea" crecía físicamente, con la anexión de poblados cercanos; surgió una opulenta burguesía, y cundió la manía financiera, con todo lo que significaba: las maniobras en la Bolsa, la corrupción económica y política. A la vez crecía desorbitadamente la inmigración, sobre todo de procedencia italiana; en 1914 el veinticinco por ciento de la población de Buenos Aires era de origen italiano, diez por ciento español, y solamente veinticinco por ciento de larga ascendencia argentina. El panorama social de la época es, pues, de una sociedad en trance de un cambio social fundamental, y el teatro del mismo período se caracteriza por ser reflejo de dicho cambio.

El escenario rioplatense de la penúltima década del siglo XIX, como el de toda la América española, presentaba los consabidos dramones románticos, en su mayoría de autores españoles y representados por compañías peninsulares. Asistía la sociedad culta, mientras que el pueblo, hambriento de entretenimientos, se amontonaba en el toldo circense para gozar del espectáculo rudo. Dramaturgos y obras rioplatenses los había, por cierto, pero un teatro que reflejara las actitudes nacionales, que no fuera pálida imitación de las obras importadas, no existía como tal. El nacimiento de este teatro se debe a una serie de circunstancias casi fortuitas; a los dueños del circo Carlos Hnos., se les ocurrió poner como pantomima, parte obligatoria de toda función circense, una versión del novelón gauchesco a folletines, *Juan Moreira*, de EDUARDO GUTIERREZ (1853-1890). El auténtico Moreira había sido un malandrín de primera que bien merecía la muerte que le dieron los policías, pero en su novelón invirtió Gutiérrez los papeles, convirtiendo al reo en una especie de Robin Hood gauchesco. Las clases menos privilegiadas vieron en él un símbolo de sus rencores, de la hombría individual y de la rebeldía contra la autoridad, y devoraban *Juan Moreira* y otras novelas de la misma calaña. La versión teatral se estrenó en 1884 en el Politeama de Buenos Aires, sin que ni los empresarios ni Gutiérrez se fijasen en que el éxito clamoroso tuviera importancia mayor, pero cuando se volvió a representar dos años más tarde en Chivilcoy, añadieron diálogo preparado por Gutiérrez, y desde ese momento cambió el teatro rioplatense. Todos cayeron en la cuenta de la gran promesa taquillera, y los dramones circenses se sucedían en grandes cantidades. Uruguayos y argentinos, dramaturgos profesionales y novatos competían en la entrega de sus obras, las que, cual más, cual menos, eran iguales. Si en esto se hubiese detenido el movimiento, habría sido de interés documental pero de escasos méritos estéticos. Afortunadamente, allí no se detuvo. Escritores cultos, preparados en la creación escénica, transformaron esta materia cruda, melodramática, en materia de arte. El resultado fue un período de enorme actividad que produjo algunos de los máximos valores del teatro hispanoamericano, además de otros de clamoroso éxito en su momento y casi totalmente olvidados hoy.

¿A qué se debe el extraordinario éxito popular de este movimiento? Hubo antecedentes tempranos: *El amor de la estanciera, Las bodas de Chivico y Pancha* y otros brotes del teatro popular colonial. En 1872 el poeta romántico FRANCISCO FERNANDEZ (1841-1922) escribió su tragedia en cuatro actos, *Solané*, extraño anticipo del teatro rural basado en la vida de un gaucho de la época, mestizo de indio araucano y francés, sacrificado por la justicia corrompida. Pero ni las obras populares ni *Solané* tenían vigencia para el pueblo; Fernández quiso estudiar la psicología gauchesca a la luz de las nuevas teorías psicofisiológicas, a la vez que denunciaba la justicia viciada. La obra está vertida en moldes románticos, y lo verboso y declamatorio impidió que tuviera significado mayor. El *Moreira* mismo es una truculenta obra primitiva, compuesta de rápidos cuadros y poco sofisticada en sus recursos teatrales; los actores eran payasos y acróbatas del circo —el personaje de Moreira fue creado por el payaso Pepino 88, o sea JOSE PODESTA (1858-1937)— y el escenario un tabladillo improvisado. Pero llegó esta obra rudimentaria cuando estaba preparado el público. Les hablaba directamente de sus propios rencores y sueños, y hasta convirtió en causante de los males de Moreira al italiano inmigrante, quien comenzaba a jugar un papel importante en la economía nacional, muchas veces para daño del criollo.

Afortunadamente, como queda dicho, el movimiento no quedó estancado en este teatro populachero no siempre exento de xenofobia. A la materia cruda se añadieron influencias estilísticas y teóricas europeas. El fondo social condujo a una fuerte intención naturalista, con ribetes del anarquismo político que palpitaba en los núcleos metropolitanos del Río de la Plata. En este desarrollo influyen el Ibsen realista, el teatro de tesis francés, el naturalismo italiano de Rovetta y Bracco, y el socialismo de espectáculo de Dicenta, y la suma de todas estas fuerzas es un teatro regionalista, con fuerte elemento de cuadro de costumbres, el estudio clínico de carácter, y una marcada orientación sociopolítica.

El primer salto del picadero al escenario lo dio el erudito e historiador entrerriano * MARTINIANO LEGUIZAMON (1858-1935), autor de cuatro obras, de las que se perdieron dos. La más importante es *Calandria* (1896), estrenada en pleno auge del dramón gauchesco; de estilo romántico todavía, es obra de costumbrismo episódico que purifica algunos de los excesos de *Moreira* y la caterva de imitaciones. *Calandria* presenta al gaucho perseguido quien, en vez de ser alevosamente asesinado, se convierte en elemento social útil. Menos sangriento y más moralizante, menos antisocial que *Moreira,* ofrece la posibilidad de la redención del malevo. En 1902 se estrenó *La piedra de escándalo* de MARTIN CORONADO (1850-1919), dramaturgo experimentado y autor de numerosos románticos y declamatorios melodramas en verso, repletos de celos, locura y honor a lo Calderón. Después del éxito de *La piedra de escándalo* se dedicó a confeccionar sentimentales dramas socialistas, convencionales y de psicología rudimentaria: *Culpas ajenas* (1903), *Sebastián* (1908), *La chacra de don Lorenzo* (1918), continuación de *La piedra de escándalo*, y la que quizá sea su mejor obra, *El sargento Palma* (1905), de alguna dimensión humana en su evocación del conflicto de lealtades durante la proyectada invasión por la Gran Bretaña en 1845. En todas estas obras sigue barajando unas cuantas combinaciones convencionales, como había aplicado al tema gauchesco sus mecánicos procedimientos anteriores; el resultado es una serie de obras de criollismo exterior y efectismo echegarayano. Intentó inútilmente la penetración del ser nacional; sus tramas son conflictos románticos en engarce rioplatense. No obstante, Coronado señala la incorporación de la nueva materia regional al teatro culto; también convierte al gaucho en paisano sedentario, allanando el camino para el importante desarrollo posterior.

También de 1902 es *Al campo* de * NICOLAS GRANADA (1840-1915), cuyas peripecias económicas le empujaron a escribir copiosa y desigualmente: teatralizaciones históricas como *Atahualpa* (1897) que le granjeó la fama por primera vez; entretenimientos menores y obras como *La gaviota* (1903), cuyo asunto del noviazgo habitual amenazado por una muchacha montaraz se hizo uno de los más gustados cuando sobrevino la decadencia del teatro rioplatense casi treinta años después. El tema de *Al campo* es el sarmentino de la lucha entre ciudad y campo, representado en este caso por el afán de figurar en la alta sociedad y la libertad rural, respectivamente. Es una pintura costumbrista antiurbana, procampesina, de comicidad al por mayor a base de tipos pintorescos, faltos de profundidad humana. Resulta una especie de manifiesto sociológico muy influido por el género chico español y por el deseo de atraer a un público acostumbrado a los excesos del dramón gauchesco. Mejor estructurado que *Calandria*, *Al campo* convierte definitivamente al moreirismo en materia para el teatro profesional.

Como queda dicho, la unidad cultural rioplatense permitía que muy pronto se afiliasen al movimiento dramaturgos uruguayos: ELIAS REGULES (1860-1929), autor de una obra de sorprendente realismo dado lo melodramático del género: *El entenao* (1890), además de *Los gauchitos* (1894) y una versión teatral del *Martín Fierro* (1890); ABDON AROSTEGUI (1853-1926), cuyo *Julián Jiménez* (1890), protesta contra las autoridades rurales inspirada directamente por una representación de *Juan Moreira*, alcanzó mil representaciones; y OROSMAN MORATORIO (1852-1898), quien intentaba la reivindicación de tipos tradicionales en *Juan Soldao* (1890), *Patria y amor*, *La flor del pago* (1894) y *Pollera y chiripá*.

Pero todos estos autores de la primera oleada rural pertenecen a la segunda generación romántica, la que bautizó José Juan Arrom como la Generación de 1864. No es sino hasta la llegada de la siguiente promoción que el movimiento cobra la solidez y la seriedad que lo hacen tan importante. Principal entre los miembros de esta promoción y una de las verdaderas glorias del teatro hispanoamericano es el uruguayo ** FLORENCIO SANCHEZ (1875-1910). Debido a la combinación de su carácter bohemio, las actividades políticas y la suma generosidad personal, vivió Sánchez acosado por la penuria, trabajando en empleos modestos, viviendo en Minas, en Rosario, en Montevideo, en Buenos Aires. Desilusionado a raíz de su actuación en la revolución de 1896, abandonó los partidos tradicionales para colaborar en círculos anarquistas; autodidacta, escribía por dinero, apresuradamente, y preferentemente en la tertulia, ajeno al ruido del café. Por fin alcanzó la fama en 1903 con *M'hijo el dotor*, pero pocos años después, estando en Milán becado para estudiar el teatro italiano, murió tísico. Esta figura extraña, legendaria ya, es, sin lugar a dudas, el dramaturgo mayor del teatro rioplatense y uno de los mayores del teatro en español.

La obra de Sánchez abarca veinte dramas conocidos, amén de cuatro perdidos. Las principales obras son *M'hijo el dotor, La gringa* (1904) y *Barranca abajo* (1905), y están enlazadas por el deseo de señalar lacras de la vida rural. En *M'hijo el dotor* vemos al tenorio citadino, hijo de estancieros acaudalados, que regresa al campo y termina destruyendo los sueños de los padres seduciendo a una chica montaraz. *La gringa* presenta el conflicto entre el antiguo sistema rural y las costumbres austeras del nuevo grupo de inmigrantes italianos. Cuando el viejo Cantalicio pierde todo por no haber pagado sus deudas con el inmigrante, Sánchez señala el camino del futuro: la boda entre la segunda generación de las dos familias. Pero estas obras no son exclusivamente retratos de injusticias; señalan el conflicto entre dos maneras de enfocar la vida, entre dos morales, entre el amor a las costumbres arraigadas y la necesidad del cambio. Este es también el tema de su obra más lograda, *Barranca abajo*, donde vemos el paulatino despojo del viejo paisano don Zoilo. Pierde dinero, bienes, familia y hasta el apellido; el que era antes don Zoilo Carbajal viene a parar en el pobre Zoilo. La escena final, de su suicidio, es casi muda, pero participa en la esencia del mejor teatro. Si vamos a pedir que la tragedia se nos aparezca vestida de túnica griega y preceptos críticos de gran aparato, no será *Barranca abajo* una tragedia. Pero si concebimos la tragedia dramática como esa obra que desnuda un alma humana en trance del ritmo trágico, entonces es una soberbia tragedia auténtica.

También encontró sus asuntos Sánchez en los núcleos metropolitanos. En 1906 estrenó *El pasado*, crítica de los infundados prejuicios que amargan la vida de las generaciones posteriores; en 1907 *Nuestros hijos*, ataque a la hipocresía y a la falsedad de la moral urbana. De sus varias obras cortas, hay algunas verdaderas obras maestras, como *Canillita* (1904), retrato compasivo de la vida de un niño en un barrio bajo de Buenos Aires; *Las cédulas de San Juan* (1904), sabroso cuadro de costumbres campestres, puro teatro de ver y oír, de sabor a tierra y tragos; *El desalojo* (1906), la vida desesperada y desesperante de los pobres, la angustia de no tener a quien recurrir en la absoluta miseria; *La tigra* (1907), una maravillosa pintura de los restos de amor y ternura que le quedan a una prostituta. Superando la estructura del sainete o la pieza breve para mostrarnos el heroísmo de las almas perdidas, en algunas de estas obras creó Sánchez verdaderas tragedias en miniatura.

Intentar, pues, la clasificación de las obras de Sánchez, significa el desconocimiento de la unidad básica de su labor. Encierra un propósito didáctico, un ansia de mostrar la miseria económica, los abusos sociales o el deplorable estado moral de sus personajes. Pero más, hay también un mensaje de amor, de comprensión humana para que desaparezcan estas lacras. Como fue esencialmente observador moralizante, a veces tambalea la caracterización psicológica, a veces carga las tintas, pero también supo crear personas de carne y hueso. Don Zoilo es todo un hombre que se desangra vivo ante nuestros ojos. La mayor y mejor parte del teatro de Sánchez es de índole francamente naturalista y socialista, destinada a desnudar las llagas sociales. Influyeron en él el naturalismo italiano a través del actor Zacconi, el realismo francés de Antoine y la técnica de la obra de tesis de Ibsen. Pero nada hay de remedio en su obra; empleaba la técnica aprendida a otros para desarrollar dramas vivamente locales, y la originalidad de Sánchez se aprecia en el habla auténtica y las imágenes campestres de sus personajes. Escribía fiel a su integridad artística; prefería vivir pobre a vender su pluma, y nunca dejaba que el conflicto entre campesinos e inmigrantes degenerara en xenofobia, nota típica en varios coetáneos suyos. De vez en cuando su teatro resiente el contenido seudofilosófico; Sánchez no podía hacer teatro literario, pero en lo mejor de su haber, nos ofrece, a través de la descarnada miseria y el sufrimiento de sus personajes, un mensaje de tolerancia y compasión.

LECTURAS. *Barranca abajo*, en Willis K. Jones, *Antología del teatro hispanoamericano*, México, Antologías Studium-5, 1959; *Teatro uruguayo*, pról. de Fernán Silva Valdés, Madrid, Aguilar, 1960; y *El drama rural*, sel., estudio prelim. y notas de Luis Ordaz, B. A., Hachette, 1959; *Teatro completo*, ed. Dardo Cuneo. B. A., Claridad. 2ª ed.. 1952.

BIBLIOGRAFIA. Juan Pablo Echagüe, "Florencio Sánchez", *Rev. Iberoamericana*, IX, 17 (feb. 1945), 9-24; Tabaré Freire, "Florencio Sánchez, sainetero", *Rev. Iberoamericana de Literatura* I, 1 (agosto 1959), 45-63; Roberto F. Giusti, *Florencio Sánchez, su vida y su obra*, B. A., Agencia Sudamericana de Libros, 1920; Julio Imbert, *Florencio Sánchez. Vida y creación*, B. A., Schapire, 1954; Ruth Richardson, *Florencio Sánchez and the Argentine Theater*, New York. Instituto de las Españas, 1953; Karl Shedd, "Thirty years of criticism of the works of Florencio Sánchez", *Kentucky Foreign Language Quarterly*, III, 1956, 29-39.

Uruguayo fue también * ERNESTO HERRERA, "Herrerita" (1886-1917); como su compatriota Sánchez, llevó una vida bohemia truncada por la tisis, y como él, escribió dentro del naturalismo social, del teatro de problemas. *El estanque* (1910) es melodrama bastante lúgubre, y la última obra de Herrera, *El pan nuestro* (1912), un retrato de la clase media madrileña, pero en tres obras estrenadas en menos de dos años, creó impresionantes piezas regionalistas de marcada intención social. *Mala laya* (1910), en un acto, ataca los abusos perpetrados por el patrón y el problema de la ilegitimidad; en un nivel más hondo, es un momento de la desaparición del gaucho, cuando el viejo pampero se siente maltratado y deshecho, sin recursos que le ayuden en su pelea desigual. En *La moral de Misia Paca* (1911) satiriza la convencional moral inflexible. Su mejor obra a todas luces es *El león ciego* (1911), denuncia de una política cuyo partidismo oscurantista desangraba al país en repetidas e inútiles guerras civiles. Hay verdadero patetismo en la figura del viejo soldado que otra vez oye el clarín marcial, contrastado con el niño que representa el futuro. A pesar de su extremado realismo y una técnica a veces más cruda y menos depurada que la de Sánchez, en *El león ciego*, sobre todo, alcanza Herrera verdadera penetración psicológica y poder dramático.

LECTURAS. *El león ciego*, en *Teatro uruguayo*, pról. de Fernán Silva Valdés, Madrid, Aguilar, 1960; *El teatro uruguayo de Ernesto Herrera*, Montevideo, Renacimiento, 1917.

BIBLIOGRAFIA. Agustín del Saz, *Teatro hispanoamericano*, v. II, Barcelona, Vergara, 1963, 168-177; Samuel Eichelbaum, "Ernesto Herrera", *Cuadernos de Cultura Teatral*, 4 (1936), 31-48; George O. Schanzer, *Vida y obras de Ernesto Herrera*, Tesis, State University of Iowa, 1954.

La tercera figura mayor del teatro rural de este momento es la del catamarqueño * JULIO SANCHEZ GARDEL (1879-1937). A pesar de que su trayectoria creadora abarca treinta años, sus mejores piezas son de la segunda década del siglo. La influencia mayor es la telúrica; la temática, la hipocresía y el aburrimiento de la vida, la política y la religión provincianas. Presenta un conflicto básico entre la provincia y la ciudad, entre dos maneras opuestas de sentir y vivir. A veces se libra este conflicto dentro de un mismo personaje; casi siempre acaba en un mensaje de reconciliación y perdón. Entre sus mejores obras figuran *Los mirasoles* (1911), pintura de costumbres campesinas, y *La montaña de las brujas* (1912), en la que maneja materiales folklóricos en un ambiente de pasiones primitivas y obsesivas, expresadas en lenguaje rudo y poderoso. Es un cuadro brutal, exagerado y a veces efectista, pero llega con gran impacto dramático la sensualidad alucinante, casi arquetípica, a través de la cual parece hablar más bien la naturaleza que los personajes.

LECTURAS. *Teatro*, est. prelim. de Juan Carlos Ghiano, B. A., Hachette, 1955.

BIBLIOGRAFIA. Delfín Leocadio Garasa, *Julio Sánchez Gardel*, B. A., Dir. General de Cultura, 1963; Ismael Moya, *El costumbrismo en el teatro de Julio Sánchez Gardel*, B. A., 1938; Juan Oscar Ponferrada, "La sugestión telúrica en el teatro de Sánchez Gardel", *Cuadernos de Cultura Teatral*, 22 (1947), 95-133.

La misma generación que produjo este florecimiento del teatro rural proporcionó también un caudal de obras urbanas. Todo lo contrario del teatro rural y social es la producción dramática de * GREGORIO DE LAFERRERE (1867-1913), miembro de la clase adinerada, diputado y caudillo político, hombre conocido por su gracia contagiosa y sus chanzas de gran vuelo imaginativo. Comenzó a escribir teatro sencillamente porque le gustaba, pero dio con el secreto del éxito taquillero en sus sátiras de costumbres porteñas. *Jettatore* (1904) es una tragicomedia que se mofa de la superstición colectiva al pintar a un hombre a quien se le atribuye burlonamente el poder del mal de ojo, y quien termina arruinado por su fama inmerecida. Además de monólogos y obras cortas, escribió después *Locos de verano* (1905), regocijada galería de las más corrientes manías coleccionistas y otras de la sociedad porteña; *Bajo la garra* (1906), ataque a la maledicencia social; y *Los invisibles* (1911), burla cómica del espiritismo crédulo. Su mejor obra es *Las de Barranco* (1908), que contrasta los escrúpulos con el falseamiento voraz dentro de una familia de clase media en ocaso, pero con pretensiones todavía. Toda su labor se caracteriza por la excelencia de la construcción y el sabio manejo de recursos teatrales, así como por el humorismo satírico que suele desembocar en sarcasmo que no encubre la moraleja. Su materia dilecta es la vida cotidiana de la clase media, y dentro de esta limitación construyó una galería de tipos de la baja burguesía.

LECTURAS. *Las de Barranco*, en: Luis Ordaz, *Breve historia del teatro argentino. IV. La época de oro*, B. A., Edit. Universitaria, 1963; *Teatro completo*, pról. y notas de Emma Susana Speratti Danero, Santa Fé, Castellví, 1952.

BIBLIOGRAFIA. Julio Imbert, *Gregorio de Laferrère*, B. A., Dir. General de Cultura, 1962; Vicente Martínez Cuitiño, "Elogio de Gregorio de Laferrère", *Cuadernos de Cultura Teatral*, 15 (1940), 69-108.

Sobresale por su acercamiento al futuro ROBERTO J. PAYRO

(1867-1928), hombre de vasta cultura y autor de ocho obras que enlazan el teatro rural todavía melodramático y el teatro profesional. Es fundamentalmente autor de teatro de ideas bastante polémicas, pero después evolucionó hacia la observación moral. Fue un éxito su primera obra, *Canción trágica* (1902), pero más conocidas y más acabadas son *Sobre las ruinas* (1904) y *Marcos Severi* (1905). En aquélla predica la necesidad de la reconciliación entre el sector rural y el progreso técnico. *Marcos Severi* se inspiró en un sonado proceso criminal del momento, y Payró atacó la injusta rigidez de un código que condenaba, por una culpa antigua, a un hombre regenerado por el trabajo; además de sus virtudes teatrales, que no son escasas, produjo la obra un cambio en el código. En sus obras posteriores, mostraba su interés por las formas nuevas; *Vivir quiero conmigo* (1923) está en la línea pirandeliana de la carencia de comunicación humana. El teatro de Payró no llegó a un alto grado de pulimento técnico, y a veces cede la psicología ante el apremio de exponer el mensaje, pero tiene la virtud de la disciplina, y sirvió de saludable lección a otros.

Entre los otros dramaturgos argentinos del momento hay que señalar a ENRIQUE GARCIA VELLOSO (1880-1938), repentista incorregible y autor de una obra numerosa y variada. Despachaba comedias ligeras, sainetes, vodeviles y comedias de intriga; sus personajes tienden hacia el tipo desigual, pero el sabio manejo de los recursos teatrales le granjeaba grandes éxitos de taquilla. A estas alturas, lo que menos ha sufrido con el transcurso del tiempo son los melodramas rurales como *Jesús Nazareno* (1902), extraña historia de un gaucho entre iluminado y loco con ribetes de redentor, y *Caín*, obras efectistas en las que campean lugares comunes de la época. Miembro de la misma promoción cronológica es el distinguido polígrafo y cabal hombre de letras, RICARDO ROJAS (1882-1957). Raúl Castagnino considera que los cuatro dramas de Rojas corresponden a sendas etapas del ciclo histórico expuesto en *Eurindia. Elelín* (1929) presenta al conquistador ambicioso y apasionado en el medio hostil indígena; *La casa colonial* (1932) trata una conspiración realista de 1812, y *La Salamanca* (1942), vertida en los moldes del teatro religioso europeo tradicional, se basa en una mezcla de supersticiones de la época colonial con actitudes y creencias religiosas indígenas. Su mejor obra a todas luces es *Ollantay* (1939), teatralización de una versión oral del mito prehispánico, recogida en provincias. Si intentó demasiado en esta tragedia indoamericana, produjo una interesante fusión de elementos dramáticos y teatrales. Se habrá fijado el lector en que Rojas, aunque perteneciente a la generación aquí tratada, apuntaba hacia el futuro en su apego a técnicas más sofisticadas, que las de sus coetáneos. Igual podríamos decir de la poetisa

ALFONSINA STORNI (1892-1938), autora de obras de teatro infantil escritas entre 1922 y 1938 y dos *Farsas pirotécnicas*: *Cimbelina en 1900 y pico*, y *Polixena y la cocinerita*. Basándose la primera en la *Cimbelina* de Shakespeare y la segunda en una escena de Eurípides, son farsas atropelladas con un sentido trágico fundamental. Antes que se inventara el teatro del absurdo, lo cultivaba Alfonsina Storni.

De menos categoría estética, pero más arraigada en las corrientes teatrales de su momento, es la obra de una serie de dramaturgos de menor valía. JOSE LEON PAGANO (1875) seguía las fórmulas europeas, y se le reputa como el primer cultivador de la comedia burguesa en la Argentina. Sus obras adolecen del diálogo hinchado y el convencionalismo. Durante cuarenta y cinco años cultivaba PEDRO E. PICO (1882-1945), toda clase de teatro; sus más de setenta títulos abarcan sainetes, comedias de costumbres, dramas caseros. En sus últimos años desarrolló un diálogo ágil que le servía en la confección de ligeras y brillantes farsas: *Agua en las manos*, estrenada póstumamente en 1951. Dos conocidos dramaturgos de la protesta social son ALEJANDRO BERRUTI (1888), autor de *Madre Tierra* (1920), denuncia furibunda del latifundio y el despojo del colono, y RODOLFO GONZALEZ PACHECO (1881-1949), autor de melodramas rurales no muy convincentes en su extraño maridaje de protesta y obvio simbolismo. Sus personajes son violentos, y su retórica artificiosa no cuaja con el criollismo anarquista del mensaje. Entretanto, desligado del movimiento que le rodeaba, DAVID PEÑA (1865-1930) cultivaba sus obras históricas, más bien afiliadas al teatro romántico.

Durante todo el período comentado aquí seguían vigentes los estrechos lazos de colaboración entre el teatro argentino y el uruguayo, hasta tal punto que es imposible separarlos. Entre los primeros uruguayos en afiliarse al movimiento gauchesco fue VICTOR PEREZ PETIT (1871-1946), uno de los líderes culturales del Uruguay durante muchas décadas. Sus ocho volúmenes de teatro publicado abarcan obras tan distintas entre sí como *Cobardes* (1894), drama gauchesco, el costumbrista *Baile de Misia Goya*, y *Yorick*, una versión de *Hamlet*. La obra que acaso mejor resuma tanto las virtudes como las debilidades del teatro de Pérez Petit es *Claro de Luna* (1906). Quiso hacer teatro de problema, pero los personajes son poco convincentes y sus reacciones tan estereotipadas que el problema queda reducido al ridículo. No obstante, demostró el autor positivas virtudes en el empleo de la música, la pantomima, la acción simultánea y otros recursos puramente teatrales. Pérez Petit marca un momento cuando el teatro se debatía todavía entre las supervivencias románticas y los nuevos conceptos dramáticos.

Influyó fuertemente en los dramaturgos de su país el uruguayo VICENTE MARTINEZ CUITIÑO (1887) por su evolución desde el naturalismo hacia el teatro de vanguardia. Su obra es copiosa y desigual; sus temas predilectos son los relacionados con el teatro de ideas y el feminismo. Aun obras tan conocidas y aplaudidas como *Servidumbre* (1937), adolecen de sentimentalismo y de una psicología bastante simplista, y muchas veces sus tentativas de hacer teatro nuevo, como la obra breve *Rayito de sol* (1909), despiden fuerte aroma a tango arrabalero. Esta misma trayectoria hacia técnicas nuevas la recorrieron JOSE PEDRO BELLAN (1888-1930), quien evolucionó hacia un teatro psicológico, y FRANCISCO IMHOF (1880-1937), autor de comedias de salón que desnudaban en términos freudianos las debilidades de una alta sociedad frustrada y corrompida. Cultivaba el drama histórico en verso romántico YAMANDU RODRIGUEZ (1889-1957): *1810* (1917) y *El Fraile Aldao* (1935). Muy apreciado en su tiempo, JOSE GONZALEZ CASTILLO (1885-1937) emprendió en 1907 una carrera que habría de producir tanto el divertimiento sin ambages como la polémica obra de tesis, de actitud simplista y técnica indisciplinada.

EL SAINETE CRIOLLO

Coetánea del apogeo de lo que podríamos llamar el teatro serio, surgió otra tendencia que durante largos años le disputaría las tablas rioplatenses: el llamado sainete criollo u orillero. Derivaba de la confluencia del teatro rural temprano y el género chico español, pero una vez establecida su propia configuración teatral, llegó a ser auténtico subgénero que influía e influye todavía en los dramaturgos más cultos y sofisticados. El género chico había nacido en Madrid en 1867, como reacción contra el género lírico de origen italiano y la zarzuela mayor; viene a ser casi una versión comprimida de ésta, y estaba muy emparentada con el tríptico paso-sainete-entremés, de recio abolengo. Llegó a conocerse también como teatro "por horas", debido a la costumbre de representar varias veces en el día la misma obra, costumbre posible por la corta duración y necesaria por la pasmosa popularidad. La plebe madrileña encontraba retratada en el género chico su propia vida: las peripecias de las clases populares pintadas con gracia y espíritu festivo. Cundió rápidamente el gusto por el nuevo "género" en los países americanos, pero sobre todo en el Río de la Plata, donde ya antes de 1875 se representaban en el picadero rudos sainetes cuyos antecedentes podemos encontrar en la tradición de la pieza popular, tales como *El amor de la estanciera*. Pronto apareció la imitación local, y de ésta se pasó al verdadero sainete criollo, modelado en el español pero con sus propias características. Más dramático —y melodramático— que su prototipo peninsular es, como éste, la interpretación del barrio bajo metropolitano, producto hasta cierto punto del nuevo sistema industrial.

Suele construirse a base de una serie de choques en vez de un verdadero conflicto dramático; su acción sucede típicamente en el conventillo, y se compone de compadradas, riñas y delitos, para rematar en desenlace de tipo dramático y no cómico, todo al son del lastimero tango arrabalero. El diálogo es la jerga porteña, y los personajes casi invariablemente tipos. Como lo definió uno de sus más asiduos y afortunados cultivadores, Alberto Vacarezza:

> Un patio de conventillo,
> un italiano encargao,
> un yoyega retobao,
> una percanta, un vivillo;
> dos malevos de cuchillo,
> un chamullo, una pasión,
> choque, celos, discusión,
> desafío, puñalada,
> aspamento, disparada,
> auxilio, cana.... telón!

Como fácilmente se colige, tal tipo de teatro tiende irremisiblemente a la receta, cuando no a la chabacanería. Casi todos los dramaturgos de la época, inclusive los más cultos y los más serios, proliferaban sainetes, pero muy pocos, notable entre ellos Florencio Sánchez, pudieron escapar de la receta. Visto a la perspectiva de los años, el sainete criollo resulta muy de su momento, sobre todo en la lectura y faltando la gracia del escenario que le soplaba vida, pero algunos tienen todavía momentos de éxito teatral y hasta dramático. Por otra parte, confirió un colorido muy particular al teatro rioplatense y en el sainete afilaron sus armas muchos autores novatos que después rendirían en géneros más serios. Allí comenzaron también, como siempre salen del espectáculo popular, actores y músicos de categoría; tal como el gran Mario Moreno, "Cantinflas", nació en la carpa mexicana, Carlos Gardel probó sus capacidades cantando tangos en sainetes.

El padre del sainete criollo, por decirlo así, es NEMESIO TREJO (1862-1916), payador y periodista de renombre. Alejándose cada vez más de la técnica zarzuelista y adaptando materia criolla, produjo más de cincuenta obras, frecuentemente de sátira política y casi siempre cargadas de alusiones actuales. Las más conocidas son *La fiesta de don Marcos* (1890), con la cual empieza realmente el género, y *Los políticos* (1897), que alcanzó más de seiscientas representaciones seguidas. Entre los más destacados saineteros figuran GARCIA VELLOSO y EZEQUIEL SORIA (1873-1936), de gran importancia como animador y director. Sus obras oscilan entre patio y conventillo, entre sátira política y exhortación patriótica; en *Justicia criolla* (1897) asume el conventillo el papel principal que después se hizo imprescindible, así como se define el tango forzoso en sainetes posteriores. Como las obras de Trejo, las de Soria son ahora más bien artefactos históricos que obras representables. Entra definitivamente el sainete en el arrabal con CARLOS MAURICIO PACHECO (1881-1924), uruguayo de nacimiento pero desde joven afiliado al teatro porteño. Bohemio pertinaz y escritor espontáneo, de estilo frondoso, creó personajes rayanos en la caricatura, pero caricatura patética que denuncia un mundo vacío de comprensión humana. De más de setenta obras suyas, sobresalen *Los disfrazados* (1906) y *Barracas* (1918) en cuyos lineamientos de sainete podemos vislumbrar el desarrollo posterior en grotesco.

El sainetero de mayor éxito fue indudablemente ALBERTO VACAREZZA (1896), y al sainete debe su fama, aunque producía dramas de otro tipo. Con él se estereotipó el género; se sacrificaba la calidad ante el apremio de la cantidad. Vacarezza prefería remover sus muñequitos del malevaje para sacar al final la moraleja inevitable. Lo más típico de su labor se encuentra en *Los scrushantes* (1911), de lenguaje arrabalero punto menos que incomprensible, *El conventillo de la paloma* (1929) y *Tu cuna fue un conventillo* (1920), que alcanzó miles de representaciones. La influencia de Vacarezza era funesta, no tanto por los obras —a fin de cuentas, pretendía deleitar, y lo hacía con gran agilidad escénica— sino porque autores de menor capacidad remedaban estérilmente su fórmula de taquilla. Pronto el escenario porteño rebosaba en imitaciones pueriles que ni siquiera ofrecían la autenticidad aguada de la labor de Vacarezza.

Con ARMANDO DISCEPOLO (1887) y FRANCISCO DEFILIPPIS NOVOA (1892-1931) derivó el sainete hacia otras formas. Después de trece años de producir comedias ligeras y apacibles, en 1923 escribió Discépolo *Mateo*; dentro de la misma línea se hallan *Stéfano* (1928) y *Relojero* (1934). En estas obras fijó su concepto del grotesco, mezcla de lo risible y lo trágico-patético, definición dramática de la inadaptación espiritual y social de sus protagonistas. Influido por el nuevo teatro europeo, y en especial por Pirandello, Discépolo expresaba la angustia del hombre reñido con su mundo, inadaptado frente a una realidad exterior incapaz de comprenderle. Cavaba en la personalidad, desplegando diversas verdades dentro del mismo personaje y las diversas máscaras que ostentamos frente al mundo que nos rodea. Cada personaje juega un papel impuesto, sea por la sociedad, sea por él mismo, y fracasan irremisiblemente al darse cuenta de que se han equivocado de papel. El diálogo de estas extrañas e incitantes obras no está a la altura del concepto, pero no dejan de tener momentos de innegable poder dramático. Defilippis Novoa empezó confeccionando sainetes intrascendentales, pero bajo la influencia de Pirandello y Andreiev, pasó por el realismo para llegar al vanguardismo simbólico y de éste al sainete dramático, de orientación religiosa. Buscaba en estas últimas obras comunicar su creencia en el sufrimiento y la purificación como trances necesarios para que el hombre hallara un significado a la vida. Su obra es demasiado literaria y sus personajes estáticos, pero representa una tentativa seria de hacer un teatro que superara los límites acostumbrados.

Después de Discépolo y Defilippis Novoa, desapareció el sainete criollo como tal, aunque durante la cuarta década de nuestro siglo seguía influyendo, con el teatro rural, en cierto barato teatro profesional de pocos quilates. Recientemente se ha despertado gran interés por este género casi olvidado entre dos sectores: los críticos del teatro rioplatense, que lo han hallado un valioso documento sociohistórico no exento de valores estéticos, y los dramaturgos, al tanto de las nuevas corrientes técnicas de otros países, que han vuelto los ojos a la tradición para buscar lo esencial de su ser y se han topado con que muchos de estos elementos nuevos están esbozados en el sainete.

BIBLIOGRAFIA. Angela Blanco Amores de Pagella, "El 'grotesco' en la Argentina", *Universidad* (Santa Fe), 49 (julio-sept. 1961); 161-175; Mariano G. Bosch, *Historia de los orígenes del teatro nacional argentino y la época de Pablo Podestá*, B. A., L. J. Rosso, 1929; —, *Historia del teatro en Buenos Aires*, B. A., Impr. El Comercio, 1910; María Inés Cárdenas de Monner Sans, "Apuntes sobre nuestro sainete y la evolución político-social argentina", *Universidad* (Santa Fe), 49 (julio-sept. 1961), 73-90; Domingo F. Casadevall, *El teatro nacional: sinopsis y perspectivas*, B. A., Dir. General de Cultura, 1961; —, *El tema de la mala vida en el teatro nacional*, B. A., Kraft, 1957; Augusto Raúl Cortázar, *Nicolás Granada y su importancia en la revisión del teatro nacional*, B. A., Impr. de la Universidad, 1937; *El drama rural*, sel., est. y pról. de Luis Ordaz, B. A., Hachette, 1959; Julio Durán Cerda, "Civilización y barbarie en el desarrollo del teatro nacional rioplatense", *Rev. Iberoamericana*, XXIX, 55 (enero-junio 1963), 89-124; Juan Pablo Echagüe, *Escritores de la Argentina*, B. A., Emecé, 1945; Blas Raúl Gallo, *Historia del sainete nacional*, B. A., Quetzal, 1958; Enrique García Velloso, *Memorias de un hombre de teatro*, B. A., Edit. Universitaria, 2ª ed., 1960; —, "Los primeros dramas en los circos criollos", *Cuadernos de Cultura Teatral*, 2 (1936), 39-91; Juan Carlos Ghiano, *Constantes de la literatura argentina*, B. A., Raigal, 1953; Roberto F. Giusti, "Nuestro drama rural", *Cuadernos de Cultura Teatral*, 7 (1937), 9-34; —, "El teatro rioplatense. Del circo a las modernas expresiones de vanguardia", *Cuadernos Americanos*, año XIII, vol. LXXVII, 5 (sept-oct. 1954), 198-212; Vicente Martínez Cuitiño, *El café de los inmortales*, B. A., Kraft, 1954; Madaline W. Nichols, "The Argentine Theater", *Bulletin Hispanique*, XLII, 1940, 39-53; Luis Ordaz, *Breve historia del teatro argentino*, v. 2-3.4, B. A., Edit. Universitaria, 1962-3; Víctor Pérez Petit, "Defensa del drama criollo", *Nosotros*, II, 16 (julio 1937), 239-255; Walter Rela, *El mito Santos Vega en el teatro del Río de la Plata*, separata, *Rev. Nacional* (Montevideo), v. 196, 3 (abril-junio 1858), 231-257; *El sainete criollo* (antología), sel., est. y pról. de Tulio

Carella, B. A., Hachette, 1957; Amelia Sánchez Garrido, "Situación del teatro gauchesco en la historia del teatro argentino", *Rev. de la Univ. Nacional de la Plata*, 14 (mayo-ag. 1961), 9-27; 15 (sept.-dic. 1961), 29-44; *Siete Sainetes porteños*, intr. y notas de Luis Ordaz, B. A., Losange, 1958; *Teatro uruguayo contemporáneo*, ed. Fernán Silva Valdés, Madrid, Aguilar, 1960.

V. TEATRO MEXICANO 1900-1930

A diferencia del teatro rioplatense, que contaba con gran actividad y se encontraba en el umbral de una década de gran empuje, el teatro mexicano a comienzos del siglo XX yacía en un decaimiento casi total. Existía en función de compañías extranjeras sujetas al trillado sistema comercial de primer galán o primera dama. Tan falto estaba de legítima existencia independiente que los aspirantes a actor, como en diversos otros países americanos, debían aprender a hablar en escena con acento español, ya que las empresas no contrataban a nadie que pronunciara con el auténtico y castizo seseo. Cuando sobrevino la Primera Guerra Mundial, estorbando la llegada de las pocas compañías extranjeras que todavía se atrevieran a entrar en un país en plena agonía revolucionaria, el teatro por poco dejó de existir. Entre las pocas notas positivas figuraban las fugaces revistas políticas que esporádicamente usurpaban el lugar a la zarzuela y el género chico; éste, de vez en cuando, daba la tónica regional ofreciendo conjuntos rancheros y el consabido asunto de los abusos del patrón, las mañas del pícaro citadino, la miseria y el vicio de los bajos locales, en fin, las mismas características del sainete criollo rioplatense, sin que en México se desarrollara con propia personalidad.

Ante este panorama poco halagador, los escasos dramaturgos mexicanos que encontrasen estreno seguían la pauta del romanticismo finisecular o comenzaban a reflejar el teatro de tesis de Ibsen y el truculento naturalismo de la escuela catalana. Entre los primeros está el gran poeta y mediano dramaturgo MANUEL JOSE OTHON (1858-1906); si su poesía es una extraordinaria expresión dentro del espíritu clásico, cronológica y dramáticamente pertenece a la segunda promoción romántica. En 1906 estrenó *El último capítulo*, su cuarta obra dramática en una esporádica producción teatral que se remonta a 1878. Si bien en esta interpretación del momento cuando Cervantes luchaba por terminar el *Quijote* la innata mesura de Othón logró suavizar las violencias del modelo echegarayano, la obra es de valor muy atenuado. Las capacidades teatrales de Othón quizá las podamos apreciar mejor en el divertido monólogo *Viniendo de picos pardos*. El notable novelista FEDERICO GAMBOA (1864-1939) estrenó en 1894 su monólogo *Divertirse;* en obras posteriores (*La última campaña*, 1894; *La venganza de la gleba*, 1905; *A buena cuenta*, 1914; *Entre hermanos*, 1928) el realismo estilo siglo XIX cedía ante el naturalismo que también empleaba en sus novelas de la misma época, y con la misma buena dosis de diálogo enfático y asuntos incestuosos, etc., que recordaban el romanticismo crepuscular. La tercera figura del teatro prerrevolucionario es MARCELINO DAVALOS (1871-1923); en una carrera que se prolonga hasta 1916 pasa del romanticismo al realismo. Su obra mejor es *Así pasan* (1908), indagación psicológica en tres momentos claves de la vida y la carrera de una actriz.

A medida que se apaciguaban los disturbios políticos y el país se estabilizaba, surgieron varias tentativas de renovación teatral. En 1919 fundó el gobierno el Teatro Folklórico, bajo la dirección de Rafael Saavedra, con el propósito de presentar obras de motivo indígena y asunto y técnica populares; varias representaciones se llevaron a cabo en Teotihuacán. En 1923 se estableció el Teatro Municipal para representar obras exclusivamente mexicanas, movimiento que se prolongaría después en el Grupo de los Siete, y al año siguiente fundó Luis Quintanilla el Teatro del Murciélago cuyo repertorio consistía en danzas indígenas, ceremonias y rituales y otros elementos de la riqueza folklórica. Por esa misma época florecía en Yucatán un poco conocido teatro popular fuertemente influido por tradiciones regionales de los mayas; aunque su apogeo es en el período 1919-1926, existe todavía. Entre los que más estrechamente colaboraron en este movimiento estuvo ANTONIO MEDIZ BOLIO (1884-1957); sus otras obras incluyen, además de tempranos dramas bajo la estela de Echegaray y la fórmula benaventina, *La ola* (1917) y *La flecha del sol* (1918). Algo tiene la primera de tremebundo manifiesto social, y la segunda es casi un retablo histórico poblado de indios sobradamente nobles y conquistadores crueles en demasía. Tienen estas obras el valor de ser punto menos que únicas en aquel convulsionado momento de la historia mexicana, pero resultan bastante anticuadas hoy, y tenemos que reconocer que su aportación capital es *La tierra del faisán y el venado* (1928), dramatización estilizada del modo maya de concebir la vida.

A pesar de estas tentativas, quedaron truncas en cuanto posibles fuentes de renovación del teatro nacional, y fue preciso que surgiera un grupo que comenzara de nuevo. Tal grupo es el llamado de los Siete: Francisco Monterde, José Joaquín Gamboa, Carlos Noriega Hope, Víctor Manuel Díez Barroso, Ricardo Parada León y los hermanos Lázaro y Carlos Lozano García. Constituido en 1923, realizó su primera temporada en 1925-6, estrenando más obras mexicanas que en todo el primer cuarto de siglo. Sus temporadas posteriores eran relativamente regulares, y cuando se disgregó el grupo en 1927, condujo a la formación de la Comedia Mexicana en 1927, grupo que duró la temporada de dicho año y dos más, de 1936 y 1937.

Frente a la búsqueda de valores autóctonos y sociales por parte del Teatro del Murciélago y otros intentos del momento, representan los Siete una reacción hacia el teatro cosmopolita, hasta el punto de ser apodados "Los Pirandellos". Al tanto de las corrientes univer- salistas de último momento, pregonaron en su manifiesto los nombres de Andreiev, Claudel, Chejov, Strindberg, O'Neill y, sobre todo, Pi- randello, como modelos a seguir. Su éxito es bastante relativo, ya que el manifiesto es mucho más atrevido que su obra original. Ensayaban renovar trabajando dentro del teatro comercial establecido, escri- biendo obras urbanas, muchas veces realistas. Mucho de lo que hacían no superaba la técnica de la alta comedia benaventina, y no lograron arrumbar el convencionalismo del teatro profesional agotado. Dieron, eso sí, una sacudida, saneando mucho el ambiente teatral, e inspi- raron, aun cuando fuese por reacción, otras tentativas. La prueba de los Siete mostró que la renovación forzosamente tendría que brotar fuera de los límites del teatro comercial.

Dentro del grupo, se destacan por encima de los otros, dos dramaturgos: * JOSE JOAQUIN GAMBOA (1878-1931) y * VIC- TOR MANUEL DIEZ BARROSO (1890-1930). Gamboa evolucionó del realismo finisecular al simbolismo abstracto, desembocando en la fantasía. Lo mejor de su fecunda labor, comenzada en 1899 con la zarzuela *Soledad*, son dos obras de la línea realista, las dos estre- nadas en 1925: *Vía Crucis* y *Los Revillagigedo*. En las dos estudia problemas contemporáneos; aquélla muestra el ocaso de una familia de la clase media, antes acomodada; ésta traza la ruina de una fa- milia latifundista, empobrecida por las expropiaciones. Para el gusto actual, las obras con mayores posibilidades escénicas son las breves, como la hilarante farsa *Espíritus* (1927), encuentro de un ratero y una linda viudita espiritista y cosquillosa. Teatro ligero, claro; pero también de la farsa se alimenta el buen teatro.

El prolífico Díez Barroso representa un adelanto técnico esti- mable; ya no estamos ni con la alta comedia burguesa ni con el rea- lismo de cepa del siglo XIX. Descuellan el interés por lo patológico y la tendencia onírica, y en sus mejores dramas (*El y su cuerpo*, 1934; *Véncete a ti mismo*, 1925) manejó nuevos recursos, como la misma escena vista desde diversas perspectivas. *Véncete a ti mismo* emplea este truco para producir dos reacciones totalmente opuestas en el público. Esta capacidad para fundir lo teatral y lo dramático se halla manifiesta también en las obras en un acto, desde el claroscuro de ballet que es *Nocturno* hasta el *tour de force* de actuación y mo- vimiento de *Verdad y mentira* (1934) o el monodrama psicológico *E o F*.

LECTURAS. *Véncete a ti mismo*, en: *Teatro mexicano del siglo XX*, v. 1, pról. Francisco Monterde, México, Fondo de Cultura Económica, 1956; *Siete obras en un acto*, México, Imp. Mundial, 1935.

44 FRANK N. DAUSTER

BIBLIOGRAFIA: Antonio Magaña Esquivel, *Imagen del teatro*, México, Letras de México, 1940.

Algunos miembros del grupo sobresalen dentro de la veta social. CARLOS DIAZ DUFOO (1861-1941), consumado modernista —había fundado con Manuel Gutiérrez Nájera la *Revista Azul* en 1894— estrenó dos juguetes cómicos en 1885, para regresar al teatro cuarenta y cuatro años más tarde, estrenando seis obras entre 1929 y 1936. Aunque en rigor pertenece a la generación anterior, sus actividades en el teatro lo colocan de plano entre este grupo de renovación. Su obra capital es *Padre mercader* (1929), panorama de los cambios económicos dentro de la familia de un inmigrante. RICARDO PARADA LEON (1902) es autor de diversas comedias benaventinas, pero *Hacia la meta*, escrita antes de 1930 y sólo estrenada en 1956, estudia el conflicto entre la industrialización y el ideal científico, influida quizá por el expresionismo de Toller. JULIO JIMENEZ RUEDA (1898-1960) es el único del grupo quien llevará sus afanes dramáticos hasta el punto de colaborar en el posterior movimiento de Ulises; como sería de esperar, en gran parte de su obra vibra la vanguardia. La mejor muestra de esta tendencia es *La silueta de humo* (1927); sobresale el típico ironismo de Jiménez Rueda en la mofa de los celos. Termina diciendo que los hechos mienten, que la realidad es relativa y la culpa es de todos. Obra elegante y sutil, pero la elegancia y la sutileza no encubren un diálogo demasiado literario. FRANCISCO MONTERDE (1894) escribió apacibles comedias sobre problemas de índole moral, dentro de un realismo mesurado, entre las cuales sobresalen *La que volvió a la vida* (1923) y *La careta de cristal* (1932). Excepción a esta regla es *Proteo* (1931), simbólico drama abstracto que le enlaza con los nuevos grupos; presenta al protagonista desde diversos ángulos, pero sólo él sabe su verdad. La abstracción estilizada y el empleo de máscaras muestran la asimilación de las nuevas corrientes cosmopolitas. Monterde ha sido además fundador, con Antonio Magaña Esquivel, de la agrupación de Críticos de Teatro (1950), y actualmente es Director de la Academia Mexicana de la Lengua; su voluminoso trabajo de erudito abarca valiosos estudios críticos, ediciones y la imprescindible *Bibliografía del teatro en México* (1934).

CARLOS NORIEGA HOPE (1896-1934) retrataba tipos de la época en un lenguaje espontáneo periodístico (*Una flapper*, 1925; *La señorita voluntad*, 1925), y los hermanos LAZARO (1899) y CARLOS LOZANO GARCIA (1902) pintaban complejos sentimentales en cinco obras estrenadas entre 1925 y 1929. Pronto los tres abandonaron el teatro casi totalmente para dedicarse a otras actividades. Los otros integrantes del Grupo de los Siete pasaron a colaborar en distinto grado en la Comedia Mexicana. Dentro de ésta la línea más señalada es la española, prevaleciendo la comedia de salón de Benavente, el teatro didáctico de Linares Rivas y el costumbrismo aguado de los Alvarez Quintero. A pesar de los esfuerzos de los Siete y las tentativas de remozar la tradición folklórica de Saavedra, Quintanilla y otros, el teatro mexicano no había logrado deshacerse del comercialismo rutinario.

BIBLIOGRAFIA. Ruth Lamb, *Bibliografía del teatro mexicano del siglo XX*, México, Studium, 1962; Antonio Magaña Esquivel, *Imagen del teatro*, México, Letras de México, 1940; —, *Medio siglo de teatro mexicano*, México, Instituto Nacional de Bellas Artes, 1964; Armando de Maria y Campos, *El teatro de género chico en la Revolución Mexicana*, México, Bibl. del Inst. Nac. de Estudios Históricos de la Revolución Mexicana, 1956; —, *El teatro de género dramático en la Revolución Mexicana*, México, Bibl. del Inst. Nac. de Est. Hist. de la Rev. Mex., 1957; Margarita Mendoza López, "El grupo de los siete autores dramáticos", *Teatro. Boletín de Información e Historia*, 11-12 (oct. 1956), 1-20; Francisco Monterde, "Autores del teatro mexicano, 1900-1950", *México en el Arte*, 10-11 (1951), 39-46; *Teatro mexicano del siglo XX*, v. 1, pról. de Francisco Monterde, México, Fondo de Cultura Económica, 1956; Rodolfo Usigli, *México en el teatro*, México, Imp. Mundial, 1932.

VI. LA RENOVACION RIOPLATENSE: 1930-1949

Después del florecimiento de la primera década del siglo, entró el teatro platense en un paulatino decaimiento. Desaparecieron los más destacados autores, y a pesar de los intentos de nuevos valores, la mayor parte de los comediógrafos prefería confeccionar débiles obras de fácil éxito. Por añadidura, se impuso el sistema comercial, heredero del español, con todo lo que significaba de estrellas de taquilla, supeditación de los otros valores a los antojos del primer galán, deformación de las obras por actores de fácil ingenio que inventaban morcillas capaces de desternillar de risa al público, pero fatales a las pretensiones de hacer drama más o menos serio. A la vez, regía las tablas una tradición costumbrista barata, degeneración del drama rural, y la competencia de los deportes y la radio mermaba seriamente al público. Para 1930 entró en plena decadencia, y surgió como reacción el movimiento que se ha dado en llamar el teatro independiente. Si se gestó alrededor de 1930, su momento más importante comienza a partir de 1937, y después de la Segunda Guerra Mundial ha fructificado de manera inesperada. No son grupos de torre de marfil, sino mezcla de profesionalismo y experimentalismo, pareciéndose bastante a grupos de renovación estadounidense como los Provincetown Players o el movimiento off-Broadway.

Reaccionando contra el consabido sistema comercial en el que empresa, estrella y dirección artística eran la misma persona, subyugan a todos a la voluntad artística del director. En vez de un repertorio cuidadosamente escogido para hacer resaltar las cualidades del primer actor, sojuzgan todo el conjunto a la obra. Ante el romanticismo trasnochado y el realismo de superficie de las obras comerciales, representan lo mejor del teatro internacional. Es, en fin, un concepto del teatro totalmente nuevo en la Argentina. Entre estos grupos, los primeros suelen ser de marcada tendencia socialista, debido a la crisis económica de 1930 y al gobierno conservador de Uriburu; los más importantes entre ellos son el Teatro del Pueblo (1930), encabezado por Leónidas Barletta (1902), el Teatro Juan B. Justo (1935) y el Teatro La Máscara (1937). Entre los diversos grupos había cierta interacción y los repertorios se parecían en alto grado; sin embargo, cada agrupación hizo un aporte distinto. Entre los conceptos desarrollados por diversos grupos figuran conferencias públicas antes o después de la representación, comentario público des-

47

pués de la obra, en el que intervenían tanto el público como el autor, los actores y el director, el concepto del teatro como taller, importancia del elenco juvenil, concursos para autores noveles, giras a provincias, etc. Muchos de estos conceptos son producto de la época; se desarrollaban a la vez en Estados Unidos, donde florecía un teatro experimental de orientación social bajo el patrocinio del gobierno federal.

Hay una nota particular en estas palabras sobre el teatro rioplatense, relacionado con el movimiento uruguayo. Entre el apogeo de los grandes dramaturgos uruguayos de comienzos de siglo y el movimiento actual, que podríamos llamar de posguerra sin violentar demasiado la cronología, las tablas del Uruguay se hallaban dominadas por compañías y obras extranjeras, en su mayoría argentinas. Por eso, los autores uruguayos escribían más bien para el teatro argentino, y los tratamos aquí, como parte de este movimiento.

Las dos figuras mayores de las tablas platenses en esta época son el argentino * SAMUEL EICHELBAUM (1894) y el uruguayo * CONRADO NALE ROXLO (1898). Aquél, a pesar de haber estrenado *La mala sed* (1920) con antelación al surgimiento de los grupos independientes, colaboró en el movimiento y compartió sus preocupaciones estéticas. Además, la parte más valiosa de su labor corresponde al momento que aquí comentamos. Es una labor nutrida en la cual se destaca la preocupación psicológica-moral; muchos de sus personajes viven frustrados por la lucha entre razón e instinto. Variadas son las influencias señaladas; entre las más razonables serían Strindberg y O' Neill, cuyas creaciones atormentadas parecen repercutir a veces en las del argentino.

Las primeras obras de Eichelbaum son abstractas y algo frías; las personas son reflexivas y la acción estática. Veinte años después de su primer estreno, se suavizan y humanizan los personajes, aunque el interés principal sigue siendo el problema moral y el conflicto casi teórico. Entre sus obras más logradas figura *El gato y su selva* (1936), retrato irónico del solterón empedernido que se cree libre, aunque vive esclavizado por sus prejuicios y su familia. *Pájaro de barro* (1940) nos presenta la figura harto conocida en el teatro platense, de la muchacha humilde seducida y abandonada; en este caso, sin embargo, la muchacha cobra recia personalidad dramática al negarse a aceptar la ayuda de la familia del artista tenorio, y en su decidida negación al casamiento. Ha dado a luz un hijo en la soledad, y en la soledad lo mantenía; no está dispuesta a ceder su derecho al amor de su hijo, aun cuando signifique la pobreza y el sufrimiento. *Un guapo del novecientos* (1940) traza la historia del guapo electoral Ecuménico, al servicio de un caudillo político; cuando encuentra a la mujer de éste en pleno idilio con el rival político de su marido, mata al adúltero. En la figura de Ecuménico hay entereza de carácter frente a un problema moral que le preocupa por ser desconocido; no tenía derecho a matar, no siendo el marido ultrajado, y por eso va a purgar su crimen a la cárcel, rechazando la ayuda de su jefe.

De 1942 es *Un tal Servando Gómez*, un sencillo carrero que protege a una pobre maltratada y a su hijo, dentro de una trayectoria rural estilizada. Obras más recientes muy aplaudidas son *Dos Brasas* (1955) y *Las aguas del mundo* (1957). Aquélla es una historia de codicia que engendra más codicia; aunque tuvo gran éxito y recibió los aplausos casi unánimes de la crítica, consideramos que los personajes caen en lo caricaturesco, restando autenticidad al desarrollo. Son muñecos que se mueven cuando el dramaturgo tira de los hilillos. *Las aguas del mundo* parece volver a la tónica de la obra temprana de Eichelbaum; transcurre una lenta serie de cuadros mientras se debate la cuestión de la paternidad de la sangre y la paternidad espiritual.

Gran sector de la crítica considera que Samuel Eichelbaum es el mejor dramaturgo hispanoamericano actual, actitud que estamos lejos de compartir. Dejando al lado nuestra creencia de que escoger el "mejor" creador en cualquier género es peligroso y hasta ridículo, el teatro de Eichelbaum adolece de ciertas debilidades bastante marcadas. Tiene valores positivos, sobre todo en la creación de figuras como el guapo Ecuménico, pero muchos de sus personajes distan de mostrar motivaciones convincentes.

Frecuentemente al autor tanto le apasiona el enredo espiritual, que sufre el desarrollo estructural. Ejemplo señalado de esto es su costumbre de permitir que la acción decisiva transcurra fuera de escena y entre actos. Entre el planteamiento y la resolución de *Un tal Servando Gómez* pasan doce años; en *Tejido de madre* (1936), son ocho. Dentro de un teatro realista, nos parece poco verosímil que después de tanto tiempo irrumpan los antagonistas o se resuelva súbitamente un distanciamiento emocional.

En *Pájaro de barro*, la protagonista cambia entre actos desde una pobre traicionada hasta una mujer humilde; jamás percibimos su trance. Es autor Eichelbaum de un caudal de obras buenas y varias señaladamente superiores; figura entre los más destacados dramaturgos de su generación.

LECTURAS. *Un guapo del 900*, en: Willis K. Jones, *Antología del teatro hispanoamericano*, México, Antologías Studium, 1959; *El gato y su selva, Pájaro de barro, Un guapo del 900*, B. A., Sudamericana, 1952.

BIBLIOGRAFIA. Theodore Apstein, "Samuel Eichelbaum, Argentinian playwright", *Books Abroad*, 1945, XIX, 237-241; Jorge Cruz, *Samuel Eichelbaum*, B. A., Dir. General de Cultura, 1962.

NALE ROXLO, conocido humorista y poeta, ha estrenado un número reducido de obras, las más de tema legendario o mitológico. *La cola de la sirena* (1941) es una delicada versión de la leyenda del hombre que se enamora de una sirena, tratada también por Casona y Giraudoux; *El pacto de Cristina* (1945) recrea en tonos románticos el mito de Fausto. En 1956 estrenó *Judith y las rosas*, visión cómico-poética del asunto bíblico de Judith y Holofernes, y en 1957 la irónica alegoría *El neblí* y una obra extraña para él, *El reencuentro*, descarnadamente realista. Su mejor obra es *Una viuda difícil* (1944), encantadora farsa poética de una viudita que le salva la vida a un condenado a muerte casándose con él, para librarse de las impertinencias de los hombres del barrio. Escribe Nalé Roxlo dentro de una estructura ortodoxa, empleando con maestría la música y los recursos de un teatro discretamente estilizado. Uno de sus valores es el lenguaje, donde despliega sus dotes de poeta y humorista, mientras investiga las relaciones entre la realidad y la imaginación, y su fuerte es la delicadeza lírica. Casi apartado de las nuevas corrientes dramáticas, se ha forjado un estilo distintivo y personal.

LECTURAS. *La cola de la sirena* en: *Teatro argentino contemporáneo*, pról. de Arturo Berenguer Carisomo, Madrid, Aguilar, 1959. *La cola de la sirena, Una viuda difícil, El pacto de Cristina, Judith y las rosas*, B. A., Sudamericana, 1957.

BIBLIOGRAFIA. Carlos Solórzano, *El teatro latinoamericano en el siglo XX*, México, Pormaca, 1964, 58-61; John F. Tull, "Unifying characteristics in Nalé Roxlo's theater", *Hispania*, XLIV, 4 (dic. 1961), 643-646.

Si bien la labor más estimable de los grupos independientes se produce en el período de la posguerra, surgió en los años tempranos de su actividad una agrupación nacida aproximadamente en 1910, entre quienes sobresalen varios. JUAN OSCAR PONFERRADA (1908) comenzó en 1937 con *La creciente*; después intentó la tragedia a base de elementos rituales prehispánicos en *El carnaval del diablo* (1943). A pesar de su innegable interés, la obra resulta demasiado esquemática y cargada, por haber intentado Ponferrada demasiado. Es autor también de *Los pastores* (1950) y *El trigo es de Dios* (1947), retablo de resonancias bíblicas. CARLOS CARLINO (1910) se ha orientado hacia lo rural buscando resucitar una tradición venida a menos, después de haber descollado como poeta. *Cuando trabaje* (1946) está dentro del naturalismo, y en *Tierra del destino* (1951) trabaja la veta del teatro criollo de comienzos del siglo en su tratamiento del desalojo evitado por el regreso fortuito del hijo. Otras obras suyas son *Esa vieja serpiente engañadora, Un cabello en la almohada* (1958), *Un viaje por un sueño* (1958) y *Las andanzas de Juan Tordo*, diecisiete obras moralizantes para niños, escritas en colaboración con Horacio Guillén y basadas principalmente en la leyenda y el cuento folklórico. Su obra más conocida es *La biunda* (1953). A través de estas obras rurales intentaba conferir significado trágico a la vida del terruño, pero acaso por trabajar una veta manoseada, sin novedades estilísticas o técnicas de mayor alcance, sus personajes carecen de vida.

La figura más interesante de esta promoción, y el dramaturgo "independiente" por antonomasia fue ROBERTO ARLT (1900-1942), de carrera truncada por la muerte en pleno poder creador. Influido por el teatro europeo, y sobre todo por Pirandello, escribió ocho obras que se representaron, de las cuales la más importante es *Saverio el Cruel* (1936), que lleva el subtítulo *Farsa Trágica*. La acción pasa entre cambiantes espejos de realidad; los personajes oscilan entre la cordura y la locura hasta que el público se desespera de poder jamás volver a distinguir entre los estados. Así son sus preocupaciones principales: sueño y vigilia, locura y cordura, realidad y ficción. Partiendo de la farsa fantástica, las obras de Arlt son de una gran lucidez de pesadilla. Otra veta trabajó BERNARDO CANAL FEIJOO (1897) en *Pasión y muerte de Silverio Leguizamón* (1944); basada, como la obra de otros tantos, en la tradición rural, traza una tentativa de defender la tierra que se resuelve en la destrucción apoteósica. Al hacer que su héroe se convirtiera en mito popular, Canal Feijoo señaló el rumbo para otros que han intentado lo mismo con el teatro rural y el sainete.

Había muchos otros dramaturgos surgidos directa o indirectamente del movimiento independiente; sería imposible estudiar aquí a todos. Pocos hay de interés duradero, sea por la política a martillazos que campeaba en sus obras, sea porque las innovaciones que en su momento hechizaban a muchos nos parecen sobradamente anticuadas hoy. Pero todos, buenos y medio buenos, colaboraron en un intento de resucitar un teatro que se alimentaba malamente durante los años treinta y gran parte de los cuarenta de insignificancias perpetradas por Malfatti y de las Llanderas, Novión, Darthés y Damel, Pondal Ríos y Olivari, y demás dúos y sencillos de igual valía, con eventuales destellos proveídos por Eichelbaum o Nalé Roxlo, algún superviviente del momento anterior o la promesa de algún joven.

BIBLIOGRAFIA. Emilio Carilla, *El teatro independiente en la Argentina*, Santa Fe, Univ. Nacional del Litoral, 1958; Robert F. Giusti, "El teatro rioplatense...", *Cuadernos Americanos*, año XIII, v. LXXVII, 5 (sep.-oct. 1954), 198-212; José Marial, *El teatro independiente*, B. A., Alpe, 1955; Walter Rela, "El mito Santos Vega en el teatro del Río de la Plata", *Rev. Nacional*, v. 196, 3 (abril-junio 1958), 231-257.

VII. LA RENOVACION MEXICANA: 1928-1950

A pesar de los esfuerzos del Grupo de los Siete, es la promoción posterior la que marca hito en el teatro mexicano. Nos referimos al grupo de Ulises (1928), que se prolonga en Teatro Orientación. Alrededor de Xavier Villaurrutia y Celestino Gorostiza, los espíritus centrales de este movimiento, se reunió un grupo de jóvenes, aspirantes a director, a actor y escenógrafo, entre los cuales se cuentan algunos de los más ilustres nombres de la cultura mexicana actual, correspondiendo en cierto sentido al grupo reunido bajo la bandera de la revista *Contemporáneos*. Ulises era conceptual, exótico, universalista; por eso, recibió más de una crítica feroz de los que confundían teatro con política. Pero el exotismo de Ulises era un exotismo necesario; modelos no exóticos no existían. En el comienzo, el repertorio se componía de traducciones del mejor teatro contemporáneo: Dunsany, Roger-Marx, Vildrac, Cocteau, O'Neill, Lenormand... Desdeñaban el melodrama, los temas manoseados, el éxito fácil. Ulises duró poco tiempo; cuando ensayó en teatros profesionales lo que había hecho en el salón de su Mecenas, Antonieta Rivas Mercado, fracasó, pero la semilla se había plantado. En 1931 Julio Bracho, más tarde de suma importancia como director, fundó Escolares del Teatro, de repertorio que seguía la dirección trazada por Ulises, sobre todo Synge y Strindberg. Escolares del Teatro estrenó también el *Proteo* de Francisco Monterde, primera obra mexicana puesta por un grupo francamente experimental. Siguió en 1932 la fundación con subvención del estado y bajo la dirección de Celestino Gorostiza, de Teatro Orientación, cuya actividad abarca el período 1932-1934 y 1938-1939. Es con este movimiento que echa raíces en México el teatro nuevo; mediante la subordinación de la personalidad del individuo a la obra en su totalidad, aprendieron los jóvenes una necesaria lección de disciplina y de rigor. Con repertorio semejante al de Ulises, pero muy ampliado, y enriquecido por obras originales de los integrantes del grupo, se daban lecciones a la vez técnicas como de respeto a la cultura teatral. Frente a un público teatral reducido, peleaban por ensancharlo, tentativa que conduciría algunos años después a la fructífera labor del teatro para niños del Instituto de Bellas Artes. Como habrá visto el lector, el rumbo de Ulises-Orientación corresponde en grado altísimo al derrotero estético del teatro independiente argentino, salvando la diferencia de la señalada tónica social de gran parte de éste. En los dos casos también, tambaleaba el teatro hasta bien entrada la década de los cuarenta; si en el Río de la Plata el movimiento independiente logra encubrir sólo en parte el vacío de un teatro comercial aliviado de vez en cuando por alguna obra de categoría, en México hubo una crisis entre 1938 y 1942, cuando la única compañía seria de algún éxito verídico fue el Teatro de México, compuesto por Villaurrutia, Gorostiza y algunos más salidos de las actividades experimentales.

Las primeras obras de * CELESTINO GOROSTIZA (1904) reiteran sus preocupaciones vanguardistas: el subconsciente, el elemento onírico, la relatividad del tiempo, los conflictos de conciencia. Tales son los temas de *El nuevo paraíso* (escr. 1930), *La escuela del amor* (1933), *Ser o no ser* (1934). *Escombros del sueño* (1938) es obra de transición, aunque dentro de la misma corriente, después, abandonó Gorostiza la creación dramática hasta 1952, cuando atacó el racismo en *El color de nuestra piel,* de técnica realista nueva para él y algo forzada. En *Columna Social* (1955) satiriza a los nuevos ricos en la ácida farsa de una dama que se deja embaucar por unos estetas farsantes, mientras el marido se dedica a negocios turbios. *Malinche* (1958), conocida también por *La leña está verde,* reinterpreta la historia de la Malinche y Cortés. Estas últimas obras se caracterizan por su capacidad profesional. Además de traductor, autor y director, ha desplegado Gorostiza gran actividad de funcionario de oficinas culturales y animador.

El mayor de los dramaturgos salidos de Ulises-Orientación es ** VILLAURRUTIA (1903-1950). El rasgo distintivo de su teatro es la lucidez intelectual, lo cual no viene a ser lo mismo que la sencillez. Los *Autos profanos,* cinco obras en un acto escritas entre 1933 y 1937 como ejercicios de construcción dramática, son en su mayoría dialécticas sutiles y baraja de conceptos, pareciéndose en esto a su poesía. Consta que como ésta, distan mucho de ser fríos; hay una buena cantidad de humorismo franco, además de la discreta sonrisa irónica que caracteriza a su autor. Dramatizaciones de problemas de la realidad y la existencia, son profundamente agarradores en su sentido de la angustia del hombre frente a un destino ignorado. La mejor obra de Villaurrutia es *Invitación a la muerte,* escrita en 1940 y estrenada siete años después. Es una versión contemporánea de *Hamlet,* en la cual estudia el autor la alucinada existencia de un joven que vive angustiado buscando su propio ser, su destino, aunque sea la muerte. Emparentado con el existencialismo, pero de suma integridad espiritual en su expresión de la psicología mexicana, y profundamente enraizada en la ética y la estética que prevalecen en su poesía, es uno de los máximos logros del teatro mexicano moderno.

Las obras posteriores son deliberadamente comerciales; en ellas quiso Villaurrutia llevar al teatro profesional el rigor aprendido en la etapa experimental. *La hiedra* y *La mujer legítima*, las dos de 1942, y *El yerro candente* (1944) son obras de factura profesional en todos los sentidos y muestras de excelente construcción en el equilibrio de forma y contenido. Debajo de la aparente frialdad late el problema de las relaciones humanas, la mayoría de las veces una versión del problema de Fedra. A esta regla son excepciones *Juego peligroso* (1950), drama de la pareja que lleva demasiado lejos su juego de aburrimiento, y *El pobre barba azul* (1947), farsa irónica de gran valor cómico; aun en estas dos, viven los personajes poseídos por la pasión de hurgar en los hechos hasta dar con su verdad.

LECTURAS. *Poesía y teatro completos*, México, Fondo de Cultura Económica, 1953.

BIBLIOGRAFIA. Vera F. Beck, "Xavier Villaurrutia, dramaturgo moderno", *Rev. Iberoamericana*, XVIII, 35 (dic. 1952), 27-39; Giuseppe Bellini, *Teatro messicano del novecento*, Milano, Instituto Editoriale Cisalpino, 1959; Frank Dauster, "El teatro de Xavier Villaurrutia", *Estaciones*, I, 4 (inv. 1956), 479-487; Celestino Gorostiza, "El teatro de Xavier Villaurrutia", *Cuadernos Americanos*. año XI, 2 (marzo-abr. 1952), 287-290; Antonio Magaña Esquivel, *Sueño y realidad del teatro*, México, INBA, 1949; Donald Shaw, "Pasión y verdad en el teatro de Villaurrutia", *Rev. Iberoamericana*, XXVIII, 54 (julio-dic. 1962), 337-346.

Coetáneo de Villaurrutia y Gorostiza, pero obstinadamente fuera de todo movimiento y toda agrupación se halla ** RODOLFO USIGLI (1905), uno de los grandes dramaturgos hispanoamericanos, traductor y maestro importante. Esencialmente moralista, sardónico pero profundamente humano, es un espíritu afín a Shaw, y ha seguido la costumbre shawiana de escribir largos prólogos y epílogos polémicos. Pero Usigli no es imitador, todo lo que escribe ostenta su inconfundible sello personal, hasta en su *Alcestes* (escr. 1936), cuyo subtítulo "Moraleja en tres actos. Transposición al ambiente mexicano..." subraya justamente hasta qué punto vierte en moldes mexicanos el tema de Molière. Las dos tendencias importantes de su obra son la psicopatología y el estudio crítico de costumbres y modos nacionales, y la intransigencia de Usigli, su insistencia en pintar al mexicano tal y como lo ve, explica el período indebido que solía pasar entre escribir la obra y verla representada, o el hecho pasmoso de que *Corona de sombra*, una de las obras maestras del teatro en español, haya durado en escena una sola noche cuando se estrenó.

Sus éxitos de taquilla suelen ser de primera línea, por lo sensacional: *El niño y la niebla* (escr. 1936; estr. 1951), *Jano es una muchacha* (1952). Obviamente, las tendencias conviven en mayor o menor grado, y *Jano es una muchacha* contiene un asalto vigoroso a lo que considera Usigli la arraigada hipocresía del mexicano referente a la vida sexual. Sus obras más acabadas están de plano dentro de la trayectoria segunda; en *Medio tono* (1937) estudia los problemas de la clase media, en especial el peligro de la disolución familiar por el desorbitado anhelo económico. *Función de despedida* (1953) es una obra de avanzada técnica; al estudiar la psicología de una actriz en vísperas de retirarse, maneja muy diestramente recursos de iluminación y movimiento, discos y máscaras.

De todo lo que ha escrito hasta ahora Rodolfo Usigli —y en los últimos años ha vuelto a estrenar varias obras—, lo más valioso es *El gesticulador* (escr. 1937; estr. 1947) y *Corona de sombra* (escr. 1943; estr. 1947). Aquélla ataca la perversión de los ideales revolucionarios a la vez que critica la gesticulación, la costumbre de enmascararse haciendo papel. Afortunadamente, el polemista y crítico de costumbres no interfiere en la obra, y la figura de César Rubio, fracaso de profesor que se roba la identidad de un revolucionario asesinado, es una de sus mayores creaciones. Termina la obra con la aplastante ironía del asesinato de este César Rubio, también en el momento cuando sueña con llevar a cabo las reformas que el otro no pudo poner en marcha. *Corona de sombra* es una interpretación antihistórica del episodio del Imperio fugaz de Maximiliano y Carlota, o sea, la verdad de la historia en términos de su significado, no de sus hechos efímeros: como un paso necesario e inapelable del proceso político mexicano. Funciona en dos niveles cronológicos firmemente estructurados, y el tenaz contraste entre la moribunda Carlota de 1927, sumida en su locura, y el proceso psíquico de la joven y hermosa Emperatriz de sesenta años antes, confiere aún mayores dimensiones. Usigli es autor de libros utilísimos para conocer el proceso teatral mexicano, *México en el teatro* (1932), *Caminos del teatro en México* (1933) e *Itinerario del autor dramático* (1941).

LECTURAS: "Corona de Sombra", México, *Cuadernos Americanos*, 1947; en Willis K. Jones, *Antología del teatro hispanoamericano*, México, Antologías Studium-5, 1959; *El gesticulador*, México, Letras de México, 1944, 2ª ed., Stylo, 1947; en: *Teatro mexicano contemporáneo*, pról. de Antonio Espina, Madrid, Aguilar, 1959; en: *Teatro mexicano siglo XX*, v. 2, pról. de Antonio Magaña Esquivel, México, Fondo de Cultura Económica, 1956. Existen también ediciones escolares norteamericanas de las dos obras. *Teatro completo*, México, Fondo de Cultura Económica, 1963.

BIBLIOGRAFIA: Vera F. Beck, "La fuerza motriz en la obra dramática de Rodolfo Usigli", *Rev. Iberoamericana*, XVIII, 36 (sept. 1953), 369-383; Giuseppe Bellini, *Teatro messicano del novecento*, Milano, Instituto Editoriale Cisalpino, 1959; Eunice G. Gates, "Usigli as seen his prefaces and epilogues", *Hispania*, XXXVII, 4 (dic. 1954), 432-439 (también aparece en traducción al español en *Iberoamérica, sus lenguas y literaturas vistas desde Estados Unidos*, México, Studium, 1962); Antonio Magaña Esquivel, *Imagen del teatro*, México,

Letras de México, 1940; —, *Sueño y realidad del teatro*, México, INBA. 1949.

Aunque por la fecha de composición de sus obras pertenece a la generación posterior * SALVADOR NOVO (1904), su vanguardismo, su importante papel entre los que animaban el movimiento de posguerra y su amistad y colaboración con los de Ulises le colocan entre este último grupo. Joven, escribió varias obras cortas no representadas, pero sólo se ha dedicado en serio a la creación teatral a partir de su actuación como jefe del Departamento de Teatro del Instituto de Bellas Artes, de 1947 a 1952, cuando sus adaptaciones de *Don Quijote* (1947) y *Astucia o los hermanos de la hoja* (1948), de Luis G. Inclán, dieron una saludable lección de las posibilidades del teatro infantil. Sobresale en la comedia, frecuentemente de tono irónico rayano en el humorismo negro. En *La culta dama* (1951) satiriza la hipocresía de la alta sociedad, mientras que *A ocho columnas* (1956), de factura profesional excelente, desnuda la corrupción de la prensa, y *Yocasta, o casi* (1961) es un complejo juego de espejos relativo a la psiquiatría y el problema del actor de distinguir lo real de la ficción. A la agilidad de estas obras añadió en *Ha vuelto Ulises* (1962) una amargura casi salvaje al mostrarnos un Ulises que añora triunfos pasados y una Penélope mortalmente aburrida y ansiosa de reanudar las interrumpidas citas con su amante; las figuras inmortales del mito heroico ya no se conocen, ni les importa un real. El mismo año viró inesperadamente en *Cuauhtémoc*, donde la herencia indígena se exhibe a través de contrastados niveles de comunicación dramática. En su fusión de materia dramática importante y capacidad técnica, es muy posible que sea la mejor obra de Novo hasta ahora. En 1963 estrenó casi el anverso, *La guerra de las gordas*, comedia pulida de las flaquezas humanas de los antepasados tenochcas. Tiene además una serie de obras breves entre las que destaca *El joven II*. Dramaturgo de quilates y director y animador de importancia, Novo es además uno de los mejores poetas del grupo de Contemporáneos.

LECTURAS. *Cuauhtémoc*, México, Libr. Madero, 1962; *La guerra de las gordas*, México, Fondo de Cultura Económica, 1963; *Ha vuelto Ulises*, México, Era, 1962.

BIBLIOGRAFIA. Antonio Magaña Esquivel, *Imagen del teatro*, México, Letras de México, 1940 —, *Sueño y realidad del teatro*, México, INBA, 1949; —, *Medio siglo de teatro mexicano*, México, INBA, 1964.

Había varias figuras que cultivaban el teatro de modo esporádico o lo abandonaron después de militar en las filas de vanguardia. El pintor AGUSTIN LAZO (1910) vive actualmente apartado del teatro, pero en cierto momento fue asiduo colaborador de Villaurrutia en traducciones, y participó en Ulises y Orientación como escenógrafo. Se lanzó como dramaturgo en 1947 con *La huella*, estudio psicológico que transcurre en los primeros días de la Revolución de 1910. Como las otras obras de Lazo, peca del diálogo henchido, pero como *Segundo imperio* (1946) y *El don de la palabra* (1950), es de interés dramático. Su obra principal es *El caso de don Juan Manuel* (1948), bien desarrollado estudio de un curiosísimo caso psicológico registrado en la época colonial. Entre las autoras dramáticas se distingue MARIA LUISA OCAMPO (1907), colaboradora, a pesar de su juventud, con los Siete y la Comedia Mexicana. Su abundante obra, entre la que destaca *Al otro día* (1955) se preocupa mayormente por el papel de la mujer en la sociedad moderna y, en obras recientes, por el ambiente rural. Importante como impulsora, CONCEPCION SADA (1899) es autora de varias comedias ágiles de intriga sentimental y orientación feminista, estrenadas entre 1935 y 1942.

Menos exagerado es el lirismo teatral de MIGUEL N. LIRA (1905-1961), bajo el doble signo de García Lorca y la poesía popular mexicana; en otras obras, señaladamente *Vuelta a la tierra* (1938), trabajó con elementos folklóricos, en especial las ceremonias, tradiciones y danzas rituales indígenas. También fue capaz de escribir *El diablo volvió al infierno* (1944), ingeniosa y divertida farsa de quilates. El elemento indigenista lo cultivó asimismo otro poeta, BERNARDO ORTIZ DE MONTELLANO (1899-1949), en obras cortas basadas en la tradición popular: *Martes de carnaval, El sombrerón* (1931) y *La cabeza de Salomé* (1943). No son recreación arqueológica sino viva creación teatral que logra captar el significado poético del mito. La mitología sirve de enfoque también para *Ifigenia cruel* (1923; estr. 1934), tragedia poética en la que ALFONSO REYES (1889-1959) apenas disfraza bajo los lineamientos de la tragedia griega el dolor del drama particular.

Contemporáneo del movimiento Ulises-Orientación fue el Teatro de Ahora (1932), encabezado por MAURICIO MAGDALENO (1906) y JUAN BUSTILLO ORO (1904). Es un teatro político de propósito casi exclusivamente revolucionario, y esta orientación panfletaria condujo a un realismo didáctico-social exageradamente crudo. Aunque Mariano Azuela hizo un arreglo especial de *Los de abajo* para Teatro de Ahora, se proveyó principalmente de lo escrito por Bustillo Oro y Magdaleno. Este escribió tres obras estrenadas en 1932, *Pánuco 37, Emiliano Zapata* y *Trópico*. El énfasis propagandístico los convirtió en manifiestos totalmente externos, de nulo valor dramático. Muy superior es Bustillo Oro; si *Los que vuelven* (1932) trata de una manera convencional el tema de los braceros que regresan vencidos y desarraigados, en *San Miguel de las Espinas* (1933) presenta con auténtico poder dramático tres momentos de la historia moderna de un pueblo rural. En vez de caer en la abigarrada violencia rutinaria de mucho teatro social, buscó una dimensión mítica, arquetípica, al problema de los poblados rurales para quienes la Revolución ha significado solamente un cambio de dueño. La estructura paralelística, el empleo del coro y el concepto del río omnipresente que rige el destino del pueblo contribuyen a que sea una obra de altos valores que trascienden toda intención propagandística.

BIBLIOGRAFIA. Giuseppe Bellini, *Teatro messicano del novecento*, Milano, Instituto Editoriale Cisalpino, 1959; Celestino Gorostiza, "Apuntes para una historia del teatro experimental", *México en el Arte*, 10-11 (1951), 23-30; Ruth Lamb, "Celestino Gorostiza y el teatro experimental en México", *Rev. Iberoamericana*, XXIII, 45 (enero 1958), 141-145; Antonio Magaña Esquivel, *Imagen del teatro*, México, Letras de México, 1940; —, *Sueño y realidad del teatro*, México, INBA, 1949; Francisco Monterde, "Autores de teatro mexicano, 1900-1950", *México en el Arte*, 10-11 (1951), 39-46; —, "Juárez, Maximiliano y Carlota en la obra de dramaturgos mexicanos", *Cuadernos Americanos*, XXIII, 5 (sept.-oct. 1964), 230-240; Salvador Novo, "El teatro", *México en el Arte*, 12 (nov. 1952), 9-34; *Teatro mexicano del siglo XX*, v. 2, pról. de Antonio Magaña Esquivel, México, Fondo de Cultura Económica, 1956; Rodolfo Usigli, *México en el teatro*, México, Imp. Mundial, 1932.

VIII. EL TEATRO CHILENO HASTA 1941

El último cuarto del siglo XIX fue de bastante empuje teatral dentro del romanticismo tardío que compartía las tablas con un teatro costumbrista de buena ley cuyo mayor representante es DANIEL BARROS GREZ (1834-1904). Alrededor de 1910 este impulso viró hacia el realismo y la indagación en la realidad nacional, movimiento también visible en la prosa narrativa. A la vez se reanudaron las visitas de compañías extranjeras, y algunas permanecieron a raíz de los trastornos de la Guerra. Se fundó en 1914 la Sociedad de Autores Teatrales e, impulsada por estos acontecimientos, en 1918 se creó la primera compañía profesional chilena. Duró hasta 1928, a pesar de tener que comenzar su actuación en provincias, donde el escepticismo de los capitalinos y la competencia de elementos extranjeros no hiciesen peligrar el éxito económico. A pesar de estos buenos presagios y la actividad de varios dramaturgos de valor, la crisis financiera de 1929-1934 amenazó la existencia del teatro en Chile, y persistió la inestabilidad hasta bien entrada la década posterior.

Las tres figuras mayores del teatro chileno anteriores al movimiento de renovación nacido alrededor de 1941 son Armando Moock, Antonio Acevedo Hernández y Germán Luco Cruchaga. MOOCK (1894-1942) fue un profesional del teatro, y cerca de 1920 se radicó en la Argentina, donde había mayores posibilidades económicas, dada la mayor actividad del teatro plenamente comercial. A Moock le caracterizan la fecundidad y la desigualdad; algunas obras suyas logran comunicar con bastante autenticidad la nota rural, pero la mayoría está emparentada con el Teatro del Bulevar de enredo casero y fácil éxito. El ritmo pueblerino fue muy del agrado del autor y de su público, que se deleitaban con el derroche de personajes típicos y el contraste entre lo sano provinciano y la sofisticación citadina: *Pueblecito* (1918) y *Mocosita* (1929) son éxitos clamorosos dentro de esta línea. La faceta cosmopolita se ve en *Rigoberto* (1935), comedia burguesa del marido débil conducido de las narices por la mujer, la hija y la suegra mandonas, y *La serpiente* (1920), pegajoso drama del escritor destruido por la mujer fatal. Desgraciadamente, sufría Moock de una señalada debilidad por el sentimentalismo y la psicología elemental, y su obra se resiente de estas dos tendencias. Tenía el don de la individualización, pero este don queda trunco en la mayoría de las veces en puros tipos. La insistencia en lo lacrimoso y la prodigiosa fecundidad que dejaba las obras a medio hacer debilitan una labor que podría haber sido de verdadera importancia.

ACEVEDO HERNÁNDEZ (1886-1962) es autor de una nutrida obra de sabor realista y hasta pesimista. Autodidacta y andariego, en sus andanzas por todo el país aprendió el modo de pensar y el habla del sector rural y de la clase humilde, conocimientos templados en su teatro por la compasión del que había visto y sentido los abusos del sistema agrario feudalista y la degradación del ciudadano abochornado por la miseria. *En el rancho* (1913) su primera pieza, fue inspirada por un desalojo, y en obras posteriores su natural afán llevó a Acevedo Hernández a reflejar la influencia del teatro naturalista de Sánchez y Gorki y la filosofía de Kropotkin. *Almas perdidas* (1917) pinta la sordidez del bajo pueblo santiaguino, mientras *La canción rota* (1921) denuncia la miseria del campesino asalariado casi esclavo. La obra en la cual acaso mejor logre dominar el diálogo discursivo es *Árbol viejo* (1930), visión del patriarca rural cuyos hijos le abandonan huyendo del campo. El teatro de Acevedo Hernández es agresivo, obvio, hasta simplista a veces, pero sus destellos folkloristas, la capacidad para pintar el ambiente malsano y el mensaje de la educación como único remedio le confieren un lugar de honor en el teatro chileno.

Amo y señor (1926) de *, GERMAN LUCO CRUCHAGA (1894-1936) estudia la corrupción moral de la clase alta, pero su otra obra estrenada *La viuda de Apablaza* (1928) es uno de los momentos más importantes del teatro rural chileno. A pesar de recursos técnicos anticuados, como el monólogo y el aparte, es de buena construcción y profundos efectos dramáticos este drama de una apasionada Fedra campesina. El deseo de retratar fielmente el medio ambiente condujo a un diálogo sobradamente regionalista, y también queda patente el sentimentalismo; no obstante, la vigorosa acción y la recia construcción de carácter hacen de *La viuda de Apablaza* un drama de categoría.

Además de las tentativas de teatro modernista de MANUEL MAGALLANES MOURE (1878-1942) y la abundante producción de índole social de VICTOR DOMINGO SILVA (1882-1960), cabe mencionar al distinguido novelista EDUARDO BARRIOS (1884-1963), autor de varias obras que critican las lacras del proceso social: *Por el decoro* (1913), sátira de la burocracia y los influyentes; *Lo que niega la vida* (1913), comedia bastante seria de la Bolsa y el lamentable estado moral de la burguesía; y *Vivir* (1916), estudio de la frustración femenina en una sociedad altamente masculina. En estas obras vislumbramos los rasgos psicológicos que caracterizan sus mejores novelas, pero no se movía con soltura dentro de la construcción teatral y pronto la abandonó. Otro dramaturgo de interés es JUAN GUZMÁN CRUCHAGA (1895); después de *La sombra* (1918) volvió al teatro en 1951 con el éxito de *María Cenicienta*, en la que presenta las desdichas ocurridas después del acostumbrado telón feliz. De recursos estilizados y diálogo poético, es una buena muestra del teatro irrealista.

BIBLIOGRAFIA. Fernando Debesa, "Nuestra herencia teatral", *Atenea*, año XXXV, t. CXXXI, 380-381 (abril- sept. 1958), 190-199; Julio Durán Cerda, *Repertorio del teatro chileno, 1842-1959*, Santiago, Pacífico, 1959; —, "El teatro chileno moderno", *Anales de la Universidad de Chile*, CXXI, 126 (abril-junio 1963); 168-203; Mariano Latorre, "Apuntes sobre el teatro chileno contemporáneo", *Atenea*, año XXV, t. XC, 278 (agosto 1948), 254-272, y 281-282 (nov.-dic. 1948), 92-114; Juan Ventura Agudiez, "El concepto costumbrista de Armando Moock", *Rev. Hispánica Moderna*, XXIX, 2 (abril 1963), 149-157.

IX. EL TEATRO EN CUBA ANTES DE LA GUERRA

El proceso teatral cubano es muy parecido al que vemos en los otros núcleos metropolitanos de Hispanoamérica: las consabidas compañías españolas consumando truculencias echegarayanas, la falta de un movimiento orgánico nacional, el tono francamente taquillero. La Sociedad de Fomento del Teatro (1910), que incluía entre sus miembros a José Antonio Ramos y Max Henríquez Ureña, y su metamorfosis posterior, la Sociedad del Teatro Cubano (1912) estimularon cierto interés pero fracasaron económicamente. Debido en parte al lamentable estado de la política y en parte a la apatía, no se volvieron a formar compañías de igual importancia sino hasta pasado un cuarto de siglo.

El principal dramaturgo cubano de esta época es * JOSE ANTONIO RAMOS (1885-1946), cuya obra se distingue por la recia línea ideológica y la predisposición hacia las nuevas corrientes teatrales. Después de obras de aprendizaje que demuestran la influencia de Ibsen y el interés de índole social, escribió Ramos *Liberta* (1911), ataque a una sociedad masculina que vivía bajo el flamante doble *standard*, y *Cuando el amor muere*, comedia en un acto cuyo desenlace deja que lo invente el público, en buen estilo pirandeliano. Su obra mayor es *Tembladera* (1917), denuncia de la explotación de los pobres, la decadencia de la clase adinerada y el monopolio del terrateniente extranjero. Si en otras obras el polemista a veces estorba al dramaturgo, en *Tembladera* encontró Ramos el rigor necesario para encauzar la verbosidad sentimental y la forma desigual; es una obra compleja pero bien lograda. Otras obras importantes de Ramos, las dos de 1935, son *En las manos de Dios*, de ideas sociales bastante radicales para su tiempo, y *La leyenda de las estrellas*, paso pirandeliano que muestra la verdad como la que queremos encontrar. Por estas y otras obras, Ramos es, sin duda alguna, uno de los más importantes dramaturgos cubanos del siglo.

LECTURAS. *Tembladera*, en: *Teatro cubano contemporáneo*, sel. y notas de Dolores Martí de Cid, Madrid, Aguilar, 1959.

BIBLIOGRAFIA. José Juan Arrom, "El teatro de José Antonio Ramos", *Rev. Iberoamericana*, XII, 24 (junio 1947), 263-271 (también aparece en los *Estudios de literatura hispanoamericana* del Dr. Arrom, La Habana, 1950).

Contemporáneo de Ramos fue GUSTAVO SANCHEZ GALA-

RRAGA (1893-1934), demasiado fecundo y fácil, muy influido por Benavente en comedias que señalan en términos deshumanizados, casi caricaturescos, la vacuidad de la alta sociedad habanera: *El mundo de los muñecos* (1919), o atacan en son de mofa los prejuicios de clase: *El grillete* (1920). RAMON SANCHEZ VARONA (1893), menos lírico que Sánchez Galarraga, es mejor dramaturgo. En *El ogro* (1915) y *María* (1918) fabricó ligeras comedias de enredo mientras que en *Con todos y para todos* (1918) ubicó su conflicto rural en los años turbulentos de la Guerra de Independencia. Después se dedicaba a intentar reducir el abismo entre teatro literario y el sainete popular ligero y muchas veces procaz, muy gustado en la época, anticipando lo que se haría actualmente. El mayor logro de Sánchez Varona es *La sombra* (1938), estudio psicológico de los problemas provocados por el triángulo amoroso.

Alrededor de 1936 comenzó a perfilarse un movimiento nuevo, si bien los dramaturgos tenían casi la misma edad de los que acabamos de señalar. Antecedente de esta nueva acción fueron las escenificaciones privadas comenzadas en 1928, que desembocaron en Teatro La Cueva, encabezado por Luis A. Baralt. La Cueva buscaba la universalidad representando obras de muchos países, y de esta tentativa que digamos inicial, surgieron otras actividades. En 1941 se fundó ADAD (Academia de Artes Dramáticas); del mismo año es el Seminario de Artes Dramáticas de la Universidad de la Habana, y en 1949 se estableció en ésta el Teatro Experimental, que a su turno condujo a la formación de grupos parecidos en otras instituciones pedagógicas. Como parte del mismo movimiento, se estableció en 1942 el Patronato del Teatro, un grupo particular de cuyas producciones surgieron muchos actores y autores.

LUIS A. BARALT (1892) es una de las principales figuras del momento; le preocupan las relaciones humanas y los problemas de la vida moderna. Su obra más conocida, y en su momento un alarde de resplandeciente vanguardismo técnico, es *La luna en el pantano* (1935), donde emplea el sueño y la fantasía para estudiar la incapacidad humana de comprender al prójimo. Sigue la misma tendencia en otras obras, como *Meditación en tres por cuatro* (1950), alegoría filosófica, y *Taowami* (1920), ataque a la civilización mecanizada que tiene el particular de encontrar también deficiente al mundo natural. La obra de Baralt, a través de más de treinta años, tiende hacia el mismo mensaje; tiende también hacia la abstracción conceptual, la exposición de ideas, y la literatura en vez del teatro. FELIPE PICHARDO MOYA (1892-1957) fue autor de dramas poético-históricos: *La oración* (1938), bastante influido por García Lorca, recurre a la descripción de la vida apartada de provincias, en este caso el Camagüey de 1870, y *Agueibaná*

(1941) es una tragedia romántica de ambiente precolombino. El teatro de Pichardo Moya vale por el lirismo de la evolución; cuando se acerca al problema contemporáneo azucarero (*Esteros del sur*) produce un obra plenamente convencional.

MARCELO SALINAS (1889), preocupado por la discriminación racial y económica, escribía obras de vigorosa sencillez, con derroche de intenso localismo y desfile de tipos populares. *Alma guajira* y *Tierra... tierra... tierra,* las dos de 1928, estudian el problema del campesino. En *El mulato* (1940) critica la política corrompida y el racismo; *Las almas buenas* (1948) castiga la caridad hipócrita. El teatro de Salinas presenta valiosas escenas costumbristas, pero adolece de marcados defectos: historias demasiado complicadas, diálogo poco convincente, escasa acción dramática en comparación con la violenta acción física, idealización de carácter. Otros dramaturgos de esta línea social son JOSE MONTES LOPEZ (1901), de interés por *Chano* y *La sequía* (1941), recreaciones del ambiente campesino y del habla guajira de estructura simplista y algo rutinaria; JUAN DOMINGUEZ ARBELO (1909), importante por *Sombras del solar* (1937), anticipo de los múltiples escenarios simultáneos actualmente de moda, en su retrato de la vida bulliciosa de un solar habanero; y CESAR RODRIGUEZ EXPOSITO (1904). Es éste observador moralizante, y su teatro es de índole realista, pintura del relajo moral, sin construir personas verdaderas. *Humano antes que moral* (1933) critica la chismografía, la hipocresía y la simulación de la alta sociedad; del mismo año es *El poder del sexo,* ataque a la politiquería.

Como se ha visto, el teatro cubano de los primeros cuarenta y tantos años de este siglo mostraba los mismos altibajos visibles en los demás países: tentativas más o menos constantes de romper la rutina del teatro comercial intrascendente, bifurcación de los dramaturgos serios entre una marcada línea social y el afán de llevar al teatro americano las nuevas corrientes de otros países, y sobre todo, una nueva gestación con sus raíces en los últimos años de la década de los veinte. Veremos a su tiempo el desarrollo posterior, que tiene características marcadamente cubanas.

BIBLIOGRAFIA. José Juan Arrom, *Historia de la literatura dramática cubana,* New Haven, Yale Univ. Press, 1944; Salvador Bueno, "Itinerario del teatro", en su *Medio Siglo de literatura cubana,* La Habana, Comisión Nacional Cubana de la UNESCO, 1953; Natividad González Freire, *Teatro Cubano, 1928-1961,* La Habana, Ministerio de Relaciones Exteriores, 1961.

X. EL TEATRO PUERTORRIQUEÑO

A pesar de muestras aisladas como *El grito de Lares* (1914) de LUIS LLORENS TORRES (1878-1944) o *El héroe galopante* (1934) de NEMESIO CANALES (1878-1923), el terreno teatral de Puerto Rico es bien yermo hasta aproximadamente 1938; en dicho año comienza una cruzada que desemboca en un movimiento orgánico que cuenta con algunos de los mejores dramaturgos actuales. En la década de los años treinta, la juventud puertorriqueña, comenzaba a preocuparse por la situación anómala de la isla, un núcleo cultural y lingüístico hispánico afiliado políticamente con una país de habla e instituciones sajonas. Este afán por conocerse ha sido de importancia capital en todos los sectores de la vida de Puerto Rico, y en el teatro condujo a la tentativa de establecer un teatro que reflejara la realidad isleña. Mientras Emilio Belaval ensayaba sus teorías en representaciones de aficionados en el Casino de Puerto Rico, Farándula Universitaria realizó una serie de giras por el interior; coetáneo de estas tentativas es el teatro popular de "Diplo", Ramón Ortiz de Rivero, un teatro de farsas y grotescos basados en tipos regionales. Es lícito sospechar la influencia de este último en los primeros años del movimiento que germinaba.

En 1938 el Ateneo de Puerto Rico premió tres obras en un concurso, y en 1940 fundó Belaval el grupo Areyto; entre estos dos, representaron entre 1938 y 1941 siete obras de autores puertorriqueños, cantidad nada desdeñable si tomamos en cuenta la esterilidad anterior. Tenían en común estos dramas el deseo de definir la realidad puertorriqueña desde diversos ángulos; las obras son realistas y frecuentemente naturalistas. Este concepto del teatro como medio de reforma social o, por lo menos, arma de denuncia, había de durar mucho tiempo en la isla. Después de desaparecer Areyto en 1942, surgieron otros grupos: Sociedad General de Autores (1942), Tinglado Puertorriqueño (1945), Comedia Estudiantil Universitaria (1947), Teatro Nuestro (1950), Teatro Experimental del Ateneo (1951), y muchos más; si dura poco tiempo la mayoría de estas tentativas, mantienen despierto el interés de una generación en formación. De suma importancia también como campo de entrenamiento es el Teatro Universitario, bajo la dirección de Leopoldo Santiago Lavandero. En 1958 culminó el movimiento en el Primer Festival de Teatro Puertorriqueño, con obras exclusivamente de autores puertorriqueños, fenómeno que viene repitiéndose todos los años hasta la fecha.

Uno de los principales animadores es el juez y cuentista EMILIO BELAVAL (1903). Después de dos obras primerizas, ha escrito *La hacienda de los cuatro vientos*, estrenada mucho después en 1958, romántica y exagerada evocación del despertar de la conciencia nacional puertorriqueña en el siglo XIX, y tres obras que pintan la deshumanización y el materialismo del mundo moderno. En *La muerte* (1953) satiriza a los que se vuelven humanos frente al peligro, pero retornan a su cerrado egoísmo una vez que pasó; es, en cierto sentido, un ataque a la cultura moderna occidental. Sigue esta trayectoria en *La vida* (publ. en 1959; estr. en 1963) y *Cielo caído* (1960), estilización de la metrópoli. Tanto el fuerte como la debilidad de estas obras es la insistencia en el simbolismo estilizado que a veces no cuaja del todo. En 1962 estrenó *Circe o el amor*, ya de plano dentro de la corriente irrealista y más lograda en su rechazo del mundo actual.

De los dramaturgos representados en la histórica temporada inicial, cabe mencionar a FERNANDO SIERRA BERDECIA (1903), autor de *Esta noche juega el jóker* (1938), comedia sofisticada que toma un manoseado asunto de farsa francesa y lo convierte en estudio del conflicto entre la tradición y la manera de vivir de la metrópoli. Anticipa además la literatura referente a la colonia hispana de Nueva York. Otra obra importante del mismo período es *Mi señoría* (1940), única obra de LUIS RECHANI AGRAIT (1902) hasta 1964, cuando estrenó *Todos los ruiseñores cantan*, añoranza cómica de la San Juan de hace treinta años; es una extraña mezcla de bufonería y grotesco al representar las andanzas de un líder político y la traición egoísta de sus amigos. Sería de poca monta si no fuera por la figura central, un bufón quijotesco que se niega a traicionarles aun mientras le venden. De 1938 es *El desmonte* de GONZALO AROCHO DEL TORO, una de las primeras obras de naturalismo rural tan importante en ese momento, y antecedente también de la literatura del arrabal. La historia de la familia jíbara arruinada por el desmonte peca de algunas imperfecciones técnicas y un exceso de vicio y violencia.

Si la mayoría de los autores representados en esos primeros años produjeron una o dos obras, otro es el caso de MANUEL MENDEZ BALLESTER (1909). Comenzó con desnudas presentaciones naturalistas de problemas agrícolas rurales: el sufrimiento de los campesinos en la temporada sin trabajo (*Tiempo muerto*, 1938); la ruina de las viejas familias que pierden la tierra, despojadas por el nuevo sistema económico (*El clamor de los surcos*, 1940). Después intentó con *Hilarión* (1943) la expresión de la tragedia griega trasladada a América, para volver a la angustia pueblerina en 1944 en *Nuestros días* y lo costumbrista social en *Este desamparo* (1949). El colmo de su trayectoria naturalista lo vemos en *Encrucijada* (1958), anatomía de la disolución de una familia del barrio latino de Nueva York. Después, ha cambiado totalmente de estilo; *El milagro* (1958) es un largo diálogo de dos trotamundos sobre temas trascendentales, y en especial si el hombre es de origen divino. Méndez Ballester supo verter su diálogo de la duda y la fe en forma compleja y hasta humorística, parecida a la estructura de las obras de Beckett, y algunos críticos consideran *El milagro* una contestación a *Esperando a Godot* del dramaturgo irlandés, mientras otros ven en la obra de Méndez Ballester un fuerte parecido con *Don Quijote*. *La feria* (1963) sigue esta corriente cosmopolita al presentar en forma satírica una fábula del hombre tragado por la máquina, para encontrar que allá adentro vive muy bien y que por añadidura saca un sueldo elevado por dejarse ver.

Los otros dos dramaturgos principales de hoy son ** RENE MARQUES (1919) y * FRANCISCO ARRIVI (1915). Arriví es una afortunada combinación de dramaturgo, estimulador y hombre práctico que conoce al dedillo las técnicas de la representación escénica. En su primera época rompe con el obsesivo insularismo de la preocupación social; de este período inicial son la primera versión de *Club de solteros* (1940), *El diablo se humaniza* (1941), *Alumbramiento* (1945), *Caso del muerto en vida* (1957) y *María Soledad* (1947), drama de la búsqueda de la pureza absoluta. En su segundo período vuelve Arriví a la realidad específica de su isla al estudiar el resultado psicológico de la mezcla de herencias étnicas en la trilogía *Máscara puertorriqueña,* que abarca *Bolero y plena* (1956), *Vejigantes* (1958) y *Sirena* (1959). *Bolero y plena* consiste en dos obras en un acto, *El murciélago y Medusas en la bahía,* que estudian la absoluta soledad, la dislocación de la conciencia, del que rechaza su compleja herencia. *Vejigantes,* su mejor obra, trata tres generaciones de mujeres que comparten su tortura espiritual frente a la herencia mezclada, y *Sirena* plantea el caso de la mulata que quiere convertirse en blanca por conseguir el amor. Recientemente, en *Coctel de Don Nadie* (1964), ha vuelto a la farsa grotesca. Las obras de Arriví están sólidamente construidas y emplean los recursos del teatro para alcanzar impresionante teatralidad: luces, música, movimiento.

LECTURAS. *Vejigantes,* en: *Teatro puertorriqueño. Primer festival,* San Juan, Instituto de Cultura Puertorriqueña, 1959; en: *Teatro hispanoamericano. Tres piezas,* ed. Frank Dauster, New York, Harcourt, Brace and World, 1965. *Bolero y plena,* San Juan, Tinglado Puertorriqueño, 1960.

BIBLIOGRAFIA. Frank Dauster, "Francisco Arriví: La máscara y el jardín", *Rev. del Instituto de Cultura Puertorriqueña,* V, 14 (enero-marzo

1962), 37-41 (versión en inglés publicada en *Hispania*, XLV, 4, dic. 1962, 637-643).

El teatro de Marqués es más político; después de obras de aprendizaje bajo la tutela de Unamuno y Faulkner, escribió *La carreta* (1954), vía crucis abrumadoramente naturalista de una familia rural que busca fortuna en el arrabal de San Juan y el barrio latino de Nueva York, ignorando que su única felicidad es la tierra en la cual están sus raíces. Los dos actos finales, violentos y exagerados, no están a la altura de la primera, que es una joya de impecable construcción dramática. *Los soles truncos* (1958) pinta el choque cultural que se halla en el fondo de todo el teatro de Marqués, representado en este caso por tres hermanas empobrecidas que se obstinan en ignorar el mundo real, el de afuera. En el empleo de diversos niveles temporales y de realidad, logra Marqués un drama de primera categoría. En *Un niño azul para esa sombra* (1960), sigue la misma línea técnica con igual éxito. Tenemos en la figura del niño Michelín otra versión del mismo asunto de *Los soles truncos*. La sólida estructura y el empleo de recursos imaginativos escénicos colocan estas dos obras entre lo mejor del teatro moderno. En *La muerte no entrará en palacio* (sin estr.), abandona Marqués el ambiente irreal para intentar la sátira política disfrazada bajo túnica de tragedia, aunque empleando todavía los recursos vistos en las dos obras anteriores. *La casa sin reloj* (1961), de aparente actitud realista, está dentro de la línea bautizada por el rótulo, teatro del absurdo; sus personajes se debaten angustiados dentro de un engarce irónico. Donde antes el tiempo ha sido en el teatro de Marqués un elemento negativo que acarrea la destrucción de un sistema social, aquí parece que el autor quiere mostrarnos que tenemos que vivir dentro de nuestro mundo. Recientemente ha seguido esta línea Marqués en *Carnaval adentro, carnaval afuera* (1963) y *El apartamiento* (1964); *Mariana o el alba* (1964) es una obra histórica sorprendente por el tono romántico y la reminiscencia lorquiana. Su teatro es de una complejidad inusitada; está preocupado por la intangible realidad puertorriqueña, y sus personajes sufren de un radical sentimiento de culpa, obsesionados por la necesidad del autosacrificio, como si sólo a través de esta purgación y el hecho de hacer, de actuar, pudiesen vivir de verdad.

LECTURAS. *Un niño azul para esa sombra*, en: *Teatro puertorriqueño. Tercer Festival*, San Juan, Instituto de Cultura Puertorriqueña, 1961; *Los soles truncos*, en: *Teatro puertorriqueño. Primer festival*, San Juan, I.C.P., 1959 (las dos en: René Marqués, *Teatro*, México, Arrecife, 1959); *La carreta*, Río Piedras, Edit. Cultural, 1961, en: *Teatro puertorriqueño. Cuarto festival*, San Juan, ICP, 1962.

BIBLIOGRAFIA: María Teresa Babín, "Apuntes sobre *La carreta*",

Asomante, 1953, 4 (oct.-dic.), 63-79; Frank Dauster, "The theatre of René Marqués", *Symposium*, Spring 1964, 35-45; Charles Pilditch, "La escena puertorriqueña: *Los soles truncos*", *Asomante*, 1961, 2 (abril-junio), 51-58.

Dos escritores de la misma promoción que merecen señalarse son el novelista ENRIQUE LAGUERRE (1906), quien *en La resentida* (1944) pinta a una familia destruida por las turbulencias políticas de los años posteriores a 1898, y EDMUNDO RIVERA ALVAREZ. Después de estrenar *El camino del silencio* (1944) y *La cárcel de yedra* (1950) volvió Rivera Alvarez con *El cielo se rindió al amanecer* (1963), bella fantasía poética de profundo sentimiento religioso y gran garra dramática; es una de las mejores obras representadas en los Festivales. Ultimamente está apareciendo un grupo más joven no del todo definido aún. Siguen, en términos generales, la temática de la generación anterior; la búsqueda del alma de la isla, dentro de una corriente técnica muy de última hora. Entre los que más prometen esta LUIS RAFAEL SANCHEZ (1936), fuertemente influido por Marqués, pero en proceso de desarrollar su propia personalidad dramática. En *Los ángeles se han fatigado* (1960) y otras obras muestra cabalmente su promesa.

BIBLIOGRAFIA. Francisco Arriví, *Entrada por las raíces*, San Juan, Serie La Entraña, 1964; —, *Evolución del autor dramático puertorriqueño a partir de 1938*, San Juan, Instituto de Cultura Puertorriqueña, 1961; —, *La generación del 30 en el teatro*, San Juan, ICP, 1960; *El autor dramático. Primer seminario de dramaturgia*, San Juan, ICP, 1963; María Teresa Babín, *Panorama de la cultura puertorriqueña*, New York, Las Américas, 1958, 433-443; Frank Dauster, "Drama and theater in Puerto Rico", *Modern Drama*, Sept. 1963, 177-186; Wilfredo Braschi, "30 años de teatro en Puerto Rico", *Asomante*, 1955. 1 (enero-marzo), 95-101; William Green, "Puerto Rican portrait", *Theatre Arts*, XL, 3 (March, 1956), 79-80 y 93-95; Max Henríquez Ureña, "Méndez Ballester y su teatro de símbolos", *La Nueva Democracia*, XLII, 2 (abril 1962), 34-41; Enrique Laguerre, *Pulso de Puerto Rico, 1952-1954*. San Juan. Biblioteca de Autores Puertorriqueños, 1956. Ver también la serie de volúmenes publicados por el Instituto de Cultura Puertorriqueña, donde se incluyen las obras representadas en los festivales anuales.

XI. EL TEATRO RIOPLATENSE
DE LA POSGUERRA

Donde realmente ha realizado su promesa el movimiento del teatro independiente es en el grupo más joven. Acontecimientos políticos y económicos, tanto nacionales como internacionales, han dejado una huella visible en esta última promoción dándole un colorido particular dentro de las características más generales. La caída del gobierno peronista y los siguientes trastornos en la Argentina han conferido un marcado tono comprometido a la obra de muchos dramaturgos, prolongando así la tónica que caracterizaba a los grupos independientes en su origen, mientras que en el Uruguay se da un proceso distinto relacionado con las condiciones políticas del país vecino. Durante la mayor parte del siglo, las tablas uruguayas se hallaban dominadas por compañías y dramaturgos argentinos, como se ha visto. Debido a la tirantez política a partir de 1945 y las consiguientes dificultades de intercambio cultural, se estimuló un movimiento nacional que estudiaremos a su debido tiempo.

Otra nota importante que tiene sus orígenes en el pasado es el interés por dar con lo auténtico y no meramente pasajero de la forma sainetera. Como muchas de las características de dicha forma —integración de baile, música y drama, y el tono de farsa mezclado con lo serio, por ejemplo— coinciden con corrientes universales del teatro actual, muchas obras recientes de tema actual tienen un parecido sorprendente con el sainete.

El florecimiento de este nuevo movimiento puede fecharse en 1949, con *El puente*, que fue la revelación del talento de * CARLOS GOROSTIZA (1920) obra representada simultáneamente por elencos profesional e independiente. Mediante una estructura en la que un acto repite la acción del anterior desnudando otra perspectiva y otra serie de circunstancias, logró presentar la vida de diversas capas sociales. Acaso por la preocupación metafísica intelectualizada, no ha alcanzado el mismo nivel en sus obras posteriores, como *El fabricante de piolín* (1950) y *Marta Ferrari* (1954), entre otras. En *El reloj de Baltasar* (1955) trató el tema del hombre dueño de la vida eterna y ansioso de volver a la mortalidad; la obra es estática pero bien construida, y momentos de bien integrada comicidad contrastan con el ansia del protagonista por poder volver a saborear el transcurso de los segundos. *El pan de la locura* (1958) señala el regreso al mejor teatro

75

de Gorostiza; aunque sigue la línea metafísica y el cambio entre un acto y otro, es demasiado abrupto, recuerda a Camus al hurgar en la responsabilidad humana como absoluto de la existencia.

LECTURAS: *El puente,* B. A., Losange, 1954.

BIBLIOGRAFIA: Carlos Solórzano, *Teatro latinoamericano en el siglo XX,* México, Pormaca, 1964, 144-146.

* AGUSTIN CUZZANI (1924) es autor de cuatro obras y uno de los dramaturgos rioplatenses de mayor fama internacional. El suyo es un teatro decididamente antirrealista y social. En *Una libra de carne* (1954), versión del tema de Shylock, y *El centroforward murió al amanecer* (1955) ataca con saña al sistema capitalista, con grandes alardes técnicos de imaginación vital, que decaen frente a la desastrosa costumbre de terminar sus obras con arengas políticas dirigidas directamente al público. En *Sempronio* (1957) el mensaje de fraternidad queda afeado por el exceso de sentimentalismo, y *Los indios estaban cabreros* (1958) tiene demasiado de truco, carente de calor. Cuzzani es un dramaturgo cuyos asuntos siempre son sorprendentes y su desarrollo vivo y rápido, pero hasta ahora le falta la disciplina necesaria para hacer lo que puede.

LECTURAS: *Teatro,* B. A., Quetzal, 1960.

BIBLIOGRAFIA: Carlos Solórzano, *Teatro latinoamericano en el siglo XX,* 139-142.

El otro dramaturgo mejor conocido de esta promoción es ** OSVALDO DRAGUN (1929); después de *La peste viene de Melos* (1956), de factura desigual, aseguró su capacidad con *Historias para ser contadas* (1957), obras breves de extraordinaria agilidad escénica. Ensayó el realismo en *Tupac Amarú* (1957), tragedia del inca rebelde de 1781. El interés dramático reside en la serenidad del inca frente al visitador español Areche; crece inexorablemente la tensión hasta desembocar en un soberbio tercer acto en el cual el que gana es Tupac Amarú, ciego y torturado pero espiritualmente entero, mientras que a Areche su incapacidad para reducir a su prisionero lo lleva casi a la locura. Obras posteriores de importancia son *Milagro en el mercado viejo* (1963), de contenido social, basado en la técnica de las *Historias* e *Y nos dijeron que éramos inmortales* (1962), ya de plano dentro de la corriente actual al interpretar el malestar moral de la joven generación. De señalada técnica brechtiana, empleando recursos de music-hall y el comentario dirigido al público, produce alta tensión trágica a través de su humorismo irónico y hasta sarcástico.

LECTURAS: *Historias para ser contadas,* B. A., Talía, 1957; *Y nos dijeron que éramos inmortales,* Xalapa, Univ. Veracruzana, 1962; *Tupac Amarú,* B. A., Losange, 1957.

BIBLIOGRAFIA: Carlos Solórzano, *Teatro latinoamericano en el siglo XX,* 142-144.

De producción más escasa es el novelista MARCO DENEVI (1922), autor de la farsa trágica de la estupidez burocrática *Los expedientes* (1957) y la estilizada y sardónica fábula poética, *El emperador de la China* (1960). JULIO IMBERT (1918) escribió varias obras menores antes de *El diente* (1954), fábula de la incapacidad del hombre para comprender a su prójimo. En 1958 es *La noche más larga del año*, alucinante grotesco del caos ético de nuestro tiempo, emparentado con el nuevo teatro del absurdo sin ser imitación. La labor de Imbert es desigual, pero en obras de la categoría de ésta, muestra que es capaz de figurar entre los más destacados miembros de su promoción. * ANDRES LIZARRAGA (1919) concibe el teatro como arma de reforma social. *Los Linares* (1958) es una tentativa no del todo lograda de mostrar la insensatez de los que persiguen todavía una manera finisecular de vivir. *Un color soledad* es de forma convencional, pero muy aguda en su retrato de la estancada vida de provincias. Entre las mejores obras de Lizárraga figura su *Trilogía sobre Mayo: Tres jueces para un largo silencio, Santa Juana de América* y *Alto Perú.* La mejor es la segunda, de 1960, pintura de la rebelión del Alto Perú entre 1809 y 1825, vertida en forma del teatro épico de Brecht, con rápido cambio de escenas, *flashback,* y la deliberada interposición de los actores entre obra y público para impedir la identificación sentimental. Lizárraga llegó relativamente maduro al teatro, pero muestra su fibra de dramaturgo capacitado.

LECTURAS: *Teatro,* B. A., Quetzal, 1962.

BIBLIOGRAFIA: Carlos Solórzano, *Teatro latinoamericano en el siglo XX,* 146-147.

La actual promoción argentina es muy rica en dramaturgos, y sería imposible citarlos aquí a todos. Entre los más interesantes, figuran JUAN MARIA BECCAGLIA (1927), autor de *...y te harán un santuario* (1958), parábola de la segunda llegada de Jesucristo, escrita para ser representada en traje moderno, y JOSE DE THOMAS (1922). Thomas ha demostrado su capacidad para crear auténticos personajes, pero tiende hacia el exceso, la pérdida de control; *Isla interior* (1959) retrata a un hombre que obstinadamente se niega a transigir, y en *El televisor* (1961) asalta con comicidad ácida la televisión y su influencia estupefaciente. También han colaborado en el teatro de posguerra dos representantes de una generación anterior, PABLO PALANT (1914) y AURELIO FERRETI (1907-1963). Palant, además de ser agudo crítico teatral, es dramaturgo razonador, autor de un teatro de conflictos personales de alta tensión, desarrollado con inteligencia y sentido teatral. Sus mejores obras de esta línea son *El cerco* (1950), de la tragedia de la vida adolescente en su sentido existencial inmediato, y *La dicha impía* (1956), excelente drama realista de los problemas surgidos a raíz de la ruptura familiar. En *El escarabajo* (1962) presenta el despertar de un hombre a su responsabilidad hacia los demás hombres, tema muy cultivado hoy en el teatro hispanoamericano, y tratado aquí con maestría. Estos intereses no han impedido que cultivara otros géneros; *El dedo gordo* es comedia musical, y en *El testamento* (1951) y *El piano* (1952) ensayó la farsa entre burlona y trágica. Ferreti escribió obras ortodoxas, pero se distinguió en la farsa irónica, que manejaba con soltura y delicadeza dentro de sus perfiles de comicidad al por mayor. Entre sus mejores obras de este género están *Fidela* (1946), *Bonomé* (1949) y *La farsa del consorte* (1950), cuya rapidez escénica y humorismo no esconden la agudeza irónica.

También cultiva la línea farsesca EDUARDO BLANCO-AMOR; para títeres escribió tres obras que después retocó para teatro vivo: *Angélica en el umbral del cielo* (1943), *La verdad vestida* (1942) y *Amor y crímenes de Juan el Pantera* (1947), fantasías brillantes en su sardónico ingenio.

Actualmente, suge una nueva promoción de dramaturgos, promoción tan numerosa que sería demasiado catálogo hacer aquí el inventario del grupo. Entre los que merecen destacarse figuran NESTOR KRALY (1936), sobre todo por *La noche que no hubo sexta* (1962), y ALBERTO WAINER (1939), autor de varias piezas cortas y rápidas de las incertidumbres de la existencia moderna. *El hombre y el bosque* (1957) muestra la inhumanidad humana; *Romeo y Julieta* (1959) es una reinterpretación feroz del tema clásico. Recuerda la obra de Ionesco en *Los últimos*, caleidoscopio verbal de las frases hechas que delatan las latentes enfermedades de nuestra sociedad. Quizá el de mayores posibilidades de esta promoción sea ROBERTO COSSA (1934), conocido por una obra, *Nuestro fin de semana* (1964), en la que un grupo aparentemente frívolo pero feliz poco a poco va desnudando su frustración, su fracaso y su histeria. En la obra de estos y otros jóvenes, se está gestando el nuevo movimiento que promete llevar adelante, a pesar de momentáneos retrocesos, uno de los brillantes movimientos teatrales de hoy.

Como se ha visto, la ruptura de relaciones culturales con la Argentina estimuló el nuevo movimiento uruguayo a partir de 1945. Ya en 1939 se había fundado el Teatro del Pueblo, grupo independiente de propósitos parecidos al grupo homónimo argentino, y en 1947 se reconoció oficialmente la gravedad de la situación fundándose la Comedia Nacional, costeada por el gobierno municipal de Montevideo, y la primera compañía residente en la historia del país. Su labor ha sido desigual, pero sus doce estrenos por año a partir de 1952, las giras de dos meses por el interior del país y el trabajo de la Escuela Municipal de Arte Dramática han sido de importancia capital. Al mismo tiempo se desarrollaban los teatros independientes, hasta el punto de que actualmente se quejan algunos críticos, con razón, de que la abundancia de elencos experimentales conduce en muchos de ellos a un bajo nivel artístico y una competencia financiera y taquillera innecesaria y nociva. El grupo más importante ha sido El Galpón (1949), en el que han colaborado vivamente algunos argentinos. Reaccionaba El Galpón contra el teatro comercial y por un teatro social, comprometido. Comenzó literalmente en un galpón, pero en 1964 se instaló en un salón grande; tiene su propia escuela para actores y sección de títeres.

Sólo en los últimos años surge de esta revitalización del teatro uruguayo una promoción definida de dramaturgos. MARIO BENEDETTI (1920) ha escrito dos obras, de las que se destaca *Ida y vuelta* (1958), de las relaciones entre realidad e ilusión. A Benedetti le hace falta todavía el aprendizaje, pero es de los que más prometen. MAURICIO ROSENCOF (1928), surgido del movimiento independiente, sigue una línea social en *Las ranas* (1961). Rosencof tiene fibra de dramaturgo, pero la intención social le condujo a construir un panorama de envilecimiento sin alivio, y la obra resulta excesivamente cargada. ANTONIO LARRETA, distinguido joven director, estrenó en 1954 *Oficio de tinieblas*, drama del antagonismo entre nuestra libertad de escoger y nuestro compromiso con el hombre, escrito con tensión siempre ascendente hasta el momento crítico. Hasta ahora, el más interesante de esta promoción es * CARLOS MAGGI (1922), autor de muchas obras entre las que se destacan *La noche de los ángeles inciertos* (1960), *La trastienda* (1958) y *La biblioteca* (1959). Conoce a fondo los recursos del teatro, y *La noche de los ángeles inciertos* es una obra de méritos, aunque quizá excesivamente literaria. En *La trastienda* presenta diversos momentos de la vida de una familia; logra hábilmente el progresivo desarrollo desde la farsa grotesca hasta el fracaso total. Donde mejor ha sintetizado su temática de la frustración inevitable a través de los años, con su técnica muy de última hora, es en *La biblioteca*, mezcla de farsa irónica y comedia negra, que figura entre lo mejor del teatro hispanoamericano reciente. El movimiento uruguayo actual ha tenido que alimentarse principalmente de obras extranjeras y algún que otro clásico del teatro rioplatense, pero en la labor de Maggi, Rosencof, Larreta y unos cuantos más, como Rubén Deugenio y Gilda Enríquez Sarano, da muestras de formar un repertorio de particular calibre.

Destácanse dos figuras que proceden de promociones muy anteriores, pero que han contribuido con obras importantes en este período. ROBERTO FABREGAT CUNEO (1906) es autor de teatro de ideas en *Como por arte de magia* (1950), estudio de las consecuencias de caer los medios de propaganda en manos de los falsos patriotas. Divierte con el diálogo excelente en la comedia *El pinar de Tierras Altas* (1953), si bien es de factura desigual, y en *Luces de cine* construyó una figura chaplinesca para indagar en la psicología del artista; es una obra interesante cuyo último acto es francamente brillante. En *La Dama del retrato premiado* (1949), tenemos una regocijada farsa satírica de la sociedad materialista de hoy, comedia que no olvida que lo primero es ser teatro y lo secundario ser sátira. En 1952 apareció como dramaturgo FERNAN SILVA VALDES (1887), ya conocido como poeta. A pesar de pertenecer a una generación muy anterior, su teatro está dentro de las corrientes más actuales. En *Santos Vega* (1952) intentó crear un "misterio del medioevo platense" que confiriera estatura mítica al gaucho; para este propósito desechó el realismo exterior empleando luces y música para crear un ambiente de irrealidad. Sigue la misma técnica en *El burlador de la pampa*, de sentido telúrico, y *Barrio Palermo* (1958), donde busca infundir nueva vida a otra vieja materia, la del sainete arrabalero. En *Los hombres verdes* (1955) combinó el mito popular con la técnica avanzada para producir una mezcla algo chocante de naturalismo y fantasía. El teatro de Silva Valdés es importante por su tentativa de encontrar las posibilidades dramáticas del mito y el folklore, tentativa plenamente lograda en *Santos Vega*.

BIBLIOGRAFIA: Raúl H. Castagnino, "Panorama de una década de estrenos nacionales en los teatros porteños, 1950-1960", *Ficción*, 24-25 (marzo-junio 1960), 135-156; Juan Carlos Ghiano, "Nuevos dramaturgos", *Ficción*, 21 (julio-sept. 1959), 76-80; Julio Imbert, *El teatro rioplatense y Fernán Silva Valdés*, Montevideo, sobretiro de la *Rev. Nacional*, no. 199. 1959: Roberto Fabregat Cuneo, "El teatro en el Uruguay", *América* (Habana). XLIII. 1 (abril 1954), 59-65.

XII. EL NUEVO TEATRO MEXICANO

Alrededor de 1947 sufría el teatro mexicano otra de las periódicas crisis que suelen hastiar el género, pero simultáneamente comenzaba a echar sus primeros brotes la promoción que actualmente coloca al movimiento mexicano entre los mejores de Hispanoamérica. Los experimentalistas de Ulises y Orientación habían entrado de lleno en el teatro profesional a la vez que se dedicaban a la enseñanza, y desde la cátedra ayudaban de manera importante a la formación de los jóvenes. Una nueva oleada de grupos experimentales se inauguró en 1942 con la fundación por José de J. Aceves de Proa Grupo, cuya existencia hasta 1947 proporcionaba a muchos su importante entrenamiento inicial. Otros grupos importantes incluían La Linterna Mágica (1947) de José Ignacio Retes y Teatro Estudiantil Autónomo (1947), de Xavier Rojas, especializado en llevar a los barrios y pequeños poblados sainetes y farsas. En 1947 fue organizado por el Instituto Nacional de Bellas Artes su Departamento de Teatro, bajo la jefatura de Salvador Novo; entre las diversas actividades de esta rama están temporadas de teatro mexicano y universal, y el estímulo a la creación de autores, intérpretes y público. En este último sentido se hizo mucho en materia de teatro para niños, con las adaptaciones por Novo de *Don Quijote* y *Astucia,* del novelista Inclán, y teatro guiñol. También se fundó la Escuela de Arte Dramático, del INBA, y se estableció el programa de concursos de teatro del Festival Nacional de Teatro, y su consecuente sistema de cursos prácticos en centros populares de todo el país. El Teatro Universitario y diversos grupos del alumnado se han dedicado con ahínco al establecimiento de cursos de estudio mientras otras actividades están destinadas a estimular la creación de un público mayor, como por ejemplo la reciente innovación de llevar a todas partes del país y a precios muy módicos, algunas de las mejores obras del moderno teatro mexicano, en carpas portátiles. El resultado de toda esta actividad es una generación de alta categoría que ha resuelto la cuestión de teatro nacional contra teatro universal que había sido fuente de polémicas durante más de treinta años. Aunque algunas figuras menores siguen cultivando el realismo a martillazos, en la obra de los mejores dramaturgos de este movimiento del teatro mexicano se hace universal haciéndose auténticamente mexicano.

Las obras de ** EMILIO CARBALLIDO (1925) se han representado en diversos países americanos y europeos. Después de dos obras de aprendizaje y varias en un acto, de variada técnica y verdadera fibra dramática, reunidas bajo el título de *D. F.*, publicado en forma aumentada en 1962, estrenó en 1950 *Rosalba y los Llaveros*, regocijada comedia del impacto en una pacata familia provinciana de una encantadora y casquivana prima capitalina. Se puede decir que marca época; después del sentimental dramón realista y la comedia profesional, cuando no mediocre no muy arraigada en lo mexicano, la obra de Carballido fue una ráfaga de aire fresco, y mostró las posibilidades cómicas de la veta provinciana hasta entonces exclusivamente realista y costumbrista. En *La danza que sueña la tortuga* (1955) presentó otra comedia satírica de la vida provinciana, pero que contiene además el esbozo del conflicto entre la realidad y la ilusión que le ha apasionado en obras posteriores. *Felicidad* (1955) es un estudio objetivo pero compasivo de la abrumadora mediocridad de la vida de la baja burguesía. Después de un breve período de experimentación con el horror —*La hebra de oro*, 1956— cambió completamente de técnica, abandonando el realismo y asmilando la técnica brechtiana a su tono humorístico muy particular. *El relojero de Córdoba* (1960) satiriza la vida moderna bajo disfraz de comedia histórica; *El día que se soltaron los leones* (1957) es una fantasía rápida que ensalza al individuo. En *Medusa* (1958), su mejor obra hasta la fecha, presenta una versión de la leyenda clásica en la que el proceso de madurez se expone como equivalente a la muerte espiritual. En *Las estatuas de marfil* (1961) volvió a la provincia para trazar el fracaso de la ilusión frente a la realidad. *Teseo* (1962) reinterpreta otro mito griego en términos aplicables a nuestro tiempo, mientras que *Un pequeño día de ira* (1962) presenta un corte transversal de una ciudad tropical, desnudando con humor e ira la estructura política. Emilio Carballido es, sin duda alguna, uno de los espíritus más inquietos y uno de los talentos de mayores capacidades del teatro hispanoamericano actual.

LECTURAS: *D. F.*, 2ª ed., Xalapa, Univ. Veracruzana, 1962; *Teatro*, México, Fondo de Cultura Económica, 1960.

BIBLIOGRAFIA: Frank Dauster, "El teatro de Emilio Carballido", *La Palabra y el Hombre*, 23 (julio-sept. 1962), 369-384.

* LUISA JOSEFINA HERNANDEZ (1928) es autora de una obra copiosa e importante. Como Carballido, comenzó tratando la frustración de la vida provinciana, en relación particular con la tentativa de la mujer de alcanzar alguna independencia espiritual: *Los frutos caídos* (1957), *Arpas blancas y conejos dorados* (1959). Después ha ensayado diversas formas dramáticas, con éxito constante. *Los duendes* (escr. 1952) es una comedia del subconsciente, *Escándalo en Puerto Santo* (1961) satiriza a la clase pudiente de un po-

blado apartado. Dentro de una línea brechtiana, de contenido social marcado, estrenó en 1960 *La paz ficticia*, evocación expresionista de la persecución de los yaquis durante el porfiriato; *Historia de un anillo* (1961) sigue la misma trayectoria social. En *Popol Vuh* trabajó con elementos de la tradición maya, y *Clemencia* es adaptación de la novela de Altamirano. Quizá su mejor obra hasta ahora sea *Los huéspedes reales* (1957), estudio magistral de un problema incestuoso; de trazos sobrios y concisión cargada de poder, se acerca a la estructura clásica en su retrato de la pasión trágica de los personajes. A pesar de la versatilidad de Luisa Josefina Hernández y la marcada nota social, la actitud esencial de su obra es la creencia en la comunicación humana como única posibilidad de evitar que sigamos siendo nada más unos fracasos andantes.

LECTURAS: *Los frutos caídos*, en: *Teatro mexicano del siglo XX*, v. 3, México, Fondo de Cultura Económica, 1956; *Los huéspedes reales*, Xalapa, Univ. Veracruzana, 1958.

BIBLIOGRAFIA: Emilio Carballido, "Los huéspedes reales", *La Palabra y el Hombre*, 8 (oct.-dic. 1958), 478-479; Carlos Solórzano, *Teatro latinoamericano en el siglo XX*, 178.

Miembro de esta misma promoción pero mucho más parco en escribir es * SERGIO MAGAÑA (1924). Su primera obra importante es *Los signos del Zodíaco* (1951), drama de la sórdida vida de una casa de vecindad. De extraordinaria capacidad técnica en el empleo de escenarios múltiples, *Los signos del Zodíaco* es una de las más importantes obras del teatro moderno de México. Después ha estrenado poco; *Moctezuma II* (1953) presenta al desdichado emperador como un ser que se siente sujeto al destino implacable. Mucho tiene de retablo, y se representó con gran éxito frente a la Pirámide del Sol en Teotihuacán. En 1958 estrenó *El pequeño caso de Jorge Lívido*, que emplea la estructura de la comedia policíaca para especular sobre el bien y el mal; es una obra de positivo valor. Después de una comedia musical, *Rentas congeladas* (1960), sólo ha vuelto a estrenar una obra, *Los motivos del lobo*, en 1963. Se trata de una familia voluntariamente aislada del mundo para obstruir el peligro del contagio; cuando por fin el contacto se establece, se hallan ignorantes de sus privilegios y obligaciones, imposibilitados de funcionar. Como se ve, el teatro de Magaña se caracteriza por su visión e imaginación dentro de una gran capacidad técnica.

LECTURAS: *Los signos del Zodíaco*, México, Col. Teatro Mexicano, 1953; en: *Teatro mexicano del siglo XX*, v, 3, México, Fondo de Cultura Económica, 1956; *El pequeño caso de Jorge Lívido*, en: *Teatro mexicano 1958*, pról. y sel. de Luis Basurto, México, Aguilar, 1959.

BIBLIOGRAFIA: Ruth Lamb y Antonio Magaña Esquivel, *Breve historia del teatro mexicano*, México, Studium, 1958, 145-146; Carlos Solórzano, *Teatro latinoamericano en el siglo XX*, México, Pormaca, 1964, 175-176.

Guatemalteco de nacimiento pero radicado en México desde hace mucho tiempo, * CARLOS SOLÓRZANO (1922) forma parte del movimiento de este país. Influido por el teatro francés, su asunto predilecto es la reflexión sobre la naturaleza del bien y el mal. *Doña Beatriz* (1952) presenta el conflicto entre la estéril herencia del viejo hemisferio y el feraz mundo nuevo; en *El hechicero* (1954) estudia el mito de la piedra filosofal vertido en la estructura de la tragedia clásica. Su obra mayor es *Las manos de Dios* (1956), ataque a las fuerzas que intentan quitarle al hombre su libertad espiritual. Con su mezcla de elementos corales, baile y nuevos enfoques teatrales, *Las manos de Dios* ha merecido los elogios de Camus y Chelderode; está totalmente dentro de las corrientes universales de hoy, sin perder su apego a formas de vivir y pensar de México. Ha escrito también obras en un acto en las que ensaya diversos estilos. Las mejores son *El crucificado*, que recrea en términos simbólicos la Pasión de Cristo, y *Los fantoches*, fantasía de la condición del hombre moderno perdido y condenado sin saber por qué ni por quién. A través de la diversidad de estilos, el teatro de Solórzano tiene una constante: un profundo sentimiento de libertad y dignidad frente al fanatismo y la persecución. Ha escrito además estudios fundamentales para el conocimiento del proceso teatral hispanoamericano y es editor de una excelente antología de la materia.

LECTURAS: *Tres actos*, México, 1959; *Las manos de Dios*, México, Costa-Amic, 1957; en: Carlos Solórzano, *El teatro hispanoamericano contemporáneo*, t. 2, México, Fondo de Cultura Económica, 1964.

BIBLIOGRAFIA: Frank Dauster, "The drama of Carlos Solórzano", *Modern Drama*, May 1964, 89-100; —, "El teatro vanguardista de Carlos Solórzano", *La Cultura en México* (suplemento de *Siempre!*), 87 (oct. 16, 1963), XIV-XV.

* ELENA GARRO (1920) es autora de varias fantasías en un acto que se aproximan al teatro de Ionesco en su énfasis en la comunicación ilógica; sin ser ampliamente conocida, ha influido en la más joven generación. En *Un hogar sólido* (1957), que dio su título al volumen publicado en 1958 que reúne la mayoría de estas piezas, juega con el mundo de ultratumba; *Andarse por las ramas* (1957) dramatiza un refrán en un boceto poético del mundo cotidiano. En casi todas estas y las otras obras de Elena Garro, presenciamos el conflicto entre la realidad cotidiana y otra realidad superior, pero en un juego de espejos, al abandonar la supuesta realidad exterior para adentrarse en la ilusión, sus personajes o se tienen que sacrificar, o ven la ilusión alcanzada nada más para verla destruida por la embestida de los que se quedaban afuera. En *La mudanza* y *La señora en su balcón*, las dos de 1959, hallamos esta misma trayectoria perfilada más agudamente.

LECTURAS: *Un hogar sólido y otras piezas en un acto*, Xalapa, Univ. Veracruzana, 1958.

BIBLIOGRAFIA: Frank Dauster, "El teatro de Elena Garro: Evasión e ilusión", *Rev. Iberoamericana*, XXX, 57 (enero-junio 1964), 81-89; Carlos Solórzano, *Teatro latinoamericano en el siglo XX*, México, Pormaca, 1964, 181-183.

JORGE IBARGÜENGOITIA (1928) es dramaturgo fecundo y algo desigual. *Susana y los jóvenes* (1954) es una muy lograda comedia ligera, y *Clotilde en su casa* (1955) farsa a la francesa cuya tentativa de seriedad al final no convence del todo. Después ha encontrado su veta en la comedia satírica de un humor bastante negro: *El viaje superficial* (1960). En *El atentado* (1963) deja empicotados a los dos bandos cuando el asesinato de Alvaro Obregón; en esta obra, de un humorismo amargado de quilates, muestra la influencia de Brecht. *Pájaro en mano* (1964) invierte las actitudes esperadas al sugerir que el galardón de la bellaquería es una vida encantadora, si se es bastante bellaco. La mayor capacidad de Ibargüengoitia está en esta clase de sardónico comentario moral, donde emplea la moral a la inversa para desnudar a sus personajes y sus debilidades.

HECTOR MENDOZA (1932) es muy conocido como autor de *Las cosas simples* (1953), delicada y penetrante comedia de la adolescencia, un muy logrado estudio de un tema enormemente difícil de manejar. Antes había estrenado en 1952 *Ahogados*, de fuerte realismo social; posteriormente no ha estrenado. El dramaturgo comercial de mayor éxito es LUIS G. BASURTO (1920), cuyo mérito mayor es el hábil empleo de las palancas escénicas. Desde su primera obra, *Los diálogos de Suzette* (1940), ha escrito extensamente. En *Miércoles de ceniza* (1956) indagó en la conciencia de sus personajes dentro de un asunto sobradamente manoseado: la regeneración de una prostituta por el amor. El teatro de Basurto ha empleado repetidamente materia rayana en lo escabroso, y en sus últimas obras está preocupado por el barrio bajo mediante una expresión melodramática y sentimental, de un naturalismo crudo y a veces repugnante: *Cada quien su vida* (1955). En algunas de estas obras, como *Los reyes del mundo* (1959) y *Olor de santidad* (1961), parece estar buscando una relación entre el vicio y un concepto religioso de la existencia, mediante una alegoría difusa. La crítica está dividida en su actitud hacia el teatro de Basurto; algunos lo califican de existencialista católico y autor serio, mientras otros ven al dramaturgo comercial que ha encontrado el éxito en lo sensacional.

Basurto procede de Proa Grupo, que ha producido otros dramaturgos; entre ellos, WILBERTO CANTON (1923). *Saber morir* (1950) es una oscura pero interesante obra semiexistencialista, y en *Escuela de cortesanos* (1954) construyó Cantón una excelente comedia satírica de intriga, de movimiento de ballet en su agilidad estilizada. Después ha escrito algunas obras de interés exclusivamente comercial, pero en varias cultiva una línea apasionada de redención social. *Malditos* (1958) trata el problema de la delincuencia, e *Inolvidable* (1961), su mejor obra en mucho tiempo, estudia a un grupo poco sabroso de pillos, que cobran, por algún milagro, dignidad y significado. En *Nosotros somos Dios* (1962) echa mano del momento más crítico de la Revolución, el instante de aparente triunfo de Huerta, como metáfora dramática de los errores de hoy, y *Nota Roja* (1964), destripa a la prensa y la justicia subrayando su venalidad. Como Basurto, escribe Cantón dentro de las formas tradicionales; como él, está preocupado por el mal, pero no en términos metafísicos sino gritando su indignación ante la injusticia. El suyo es un teatro a veces exagerado y obvio, pero en sus mejores momentos es un teatro de calidad notable.

También sigue la ruta ortodoxa RAFAEL SOLANA (1915) en numerosas y graciosas comedias de vena fácil. Prefiere el éxito al pulimento, pero sus obras más recientes son más humanas a la vez que mejor escritas. Disecciona mordaz todas las capas sociales. Sus mejores obras son *Debiera haber obispas* (1954), sátira vitriólica de la hipocresía provinciana; *Estrella que se apaga* (1953), mofa de la industria cinematográfica que cobra ecos trágicos a través del desarrollo; y *A su imagen y semejanza* (1957), fusión de humorismo flamboyante y farsa a la francesa, pero con el calor humano que otras veces le falta.

De esta misma agrupación, cronológicamente de una generación anterior a la actual pero colaborando con ésta, se destaca MARIA LUISA ALGARRA (1916-1957), muerta cuando su habilidad estaba por florecer. Después de *La primavera inútil* (1944) y *Casandra* (1953), en 1954 estrenó su mejor obra, *Los años de prueba*, compasivo y bien construido drama de la vida estudiantil. Como se ha visto, este grupo maduro cultiva preferentemente el realismo; entre otros que merecen señalarse están RAFAEL BERNAL (1915), quien prefiere el ambiente revolucionario (*Antonia*, 1950) y las luchas religiosas (*La paz contigo*, 1960) con criterio conservador y estética que tiende a la simplificación, e IGNACIO RETES (1918), director destacado y autor de *La aria de la locura* (1953), evocación realista de la clase popular, y *Una ciudad para vivir* (1954), bien construido drama de la necesidad de que nos conozcamos mutua e individualmente. J. HUMBERTO ROBLES ARENAS (1921) triunfó en 1956 con su estudio realista y melodramático del problema de los hijos de mexicanos emigrados, *Los desarraigados*.

Caso especial dentro de este grupo es FEDERICO SCHROEDER INCLAN (1910), fecundo y poco literato; sus obras son directas y generalmente de índole social, como *Espaldas mojadas* (1951) o los mineros atrapados de *Luces de carburo* (1950). Aun sus mejores obras, como la divertida comedia *Hoy invita la güera* (1955) adolecen de serios defectos estructurales, y cuando intenta el estudio psicológico —*Cordelia,* 1958— no es del todo convincente. A pesar de estas debilidades, Inclán es uno de los autores de mayor éxito. También ha cultivado el realismo convencional el poeta FERNANDO SANCHEZ MAYANS (1924) en *Las alas del pez* (1960).

Entre la generación actual, hay varios autores que no han logrado definirse, por diversas razones. Algunos cultivan el realismo, como LUIS MORENO (1935) en *Los sueños encendidos* (1958), de factura lograda dentro de la ruta ya harto recorrida de los prejuicios provincianos. CARLOS ANCIRA (1929) estudió en *Después nada* (1954) al viejo actor que vuelve a las tablas para fracasar estruendosamente; la obra es difusa, pero el personaje principal es toda una creación. El que más promete y que más pertinazmente se dedica a la creación teatral es HECTOR AZAR (1930), director y animador de gran importancia en su labor con grupos estudiantiles. Además de diversas adaptaciones que han sido representadas con éxito, es autor de dos alucinantes dramas en un acto estrenadas la misma noche en 1959, *La appasionata* y *El alfarero*. A Azar le calificamos de no definido todavía, no por falta de capacidades, sino porque trabaja con elementos difíciles que no se rinden fácilmente. Vanguardista y preocupado por la vaciedad de la comunicación demuestra también la influencia del folklore y las artes populares; se ha señalado el parecido de estas dos obras con los grabados de Posada. De 1962 es *Olímpica,* dentro del mismo estilo curiosamente particular; es una compleja fusión de elementos sacados de la vida cotidiana de la metrópoli mexicana y de la mitología griega. Es una obra de altos valores simbólicos y teatrales, y esperamos que siga desarrollando Azar su teatro de sello personal.

En los últimos años comienza a aparecer el grupo más joven, el que calificara Arrom de segunda vertiente de la generación actual. De las pocas muestras de su obra temprana, es lícito afirmar que el suyo es un teatro plenamente universalista, pero con sus típicas notas de mexicanidad. Han aprendido de los mayores de la misma promoción que es posible hacer teatro mexicano sin agobiar las tablas de huaraches y sarapes, y prometen que la riqueza del movimiento de hoy no decaerá.

BIBLIOGRAFIA: *Concurso nacional de teatro. Obras premiadas 1954-1955,* México, INBA, 1955; Celestino Gorostiza, "Panorama del teatro en México", *Cuadernos Americanos,* año XVI, t. XCVI, 6 (nov.-dic. 1959), 250-261; Allan Lewis, "The Theatre in Mexico", *Texas quarterly,* II, 1 (Spring, 1959), 143-155; Antonio Magaña Esquivel, *Medio siglo de teatro mexicano, 1900-1961,* México, INBA, 1964; —, "El teatro mexicano contemporáneo", *Rev. Interamericana de*

88 FRANK N. DAUSTER

Bibliografía, XIII (1963), 402-423; Aurora Maura Ocampo de Gómez, *Literatura mexicana contemporánea. Bibliografía crítica*, México, Univ. Nacional Autónoma de México, 1965; Carlos Solórzano, "El teatro de la posguerra en México"; *Hispania*, XLVII, 4 (dic. 1964), 693-697; *El teatro en México*, México, INBA, 1958; —, *v. 2 (1958-1964)*, México. INBA, 1964; *Teatro mexicano del siglo XX.* t. 3, pról. de Celestino Gorostiza, México, Fondo de Cultura Económica, 1956; *Teatro mexicano 1958*, sel. y pról. de Luis G. Basurto, México, Aguilar, 1959; *Teatro mexicano 1959*, sel. y pról. de Luis G. Basurto, México, Aguilar, 1962.

XIII. EL TEATRO CHILENO ACTUAL

El rico y variado movimiento contemporáneo de Chile tiene sus orígenes en las universidades, aunque pronto ensanchó sus actividades. Reaccionando contra la poca actividad de los dramaturgos chilenos, en 1941 estableció la Universidad de Chile su teatro experimental, que después se convirtió en el sobremanera importante ITUCH (Instituto de Teatro de la Universidad de Chile). Entre los que más contribuyeron a este desarrollo fue PEDRO DE LA BARRA (1912), dramaturgo y director. Se fundó además la muy importante Escuela de Teatro de la Universidad. En 1943 siguió la fundación del Teatro Experimental de la Universidad Católica; los dos grupos tienen elenco a sueldo y gozan de sala de tipo profesional desde 1954 (Univ. de Chile) y 1956 (Univ. Católica). Como consecuencia de la actividad de estos grupos han surgido muchos otros; se fomentan las obras chilenas con concursos y premios, con el resultado de que actualmente hay más actividad en el teatro chileno que en ningún otro período de su historia. Cierto es que las estadísticas pueden mentir, pero no pueden menos que impresionar las cifras siguientes. En el Quinto Festival de Teatros Independientes y de Aficionados, llevado a cabo en 1964 y cuya duración fue de dos semanas, cuarenta y cuatro grupos presentaron cincuenta y nueve obras. De los grupos, diecisiete eran de Santiago y los veintisiete restantes de otras partes del país. De las cincuenta y nueve obras, treinta y siete eran chilenas, y de éstas, dieciséis estrenos. Sin apurar mucho más, queda por subrayar que diez de estos estrenos representaban la primera obra de dramaturgos novatos. Otras fuentes calculan que hay un promedio constante de diez compañías y grupos más o menos profesionales en Santiago, cinco en Concepción, dos en Antofagasta, uno en Valparaíso y otro en Chillán, sin contar cien o más grupos francamente de aficionados. Queda perfectamente obvio que en Chile hay una actividad teatral de enorme empuje.

La mayoría de los dramaturgos actuales han procedido de los teatros universitarios. Entre la promoción más madura se destaca ROBERTO SARAH (1918), autor de teatro bajo el pseudónimo de Andrés Terbay. Su primera obra, *Las idólatras*, es de 1938, pero su mayor actividad tuvo lugar entre 1950 y 1952, cuando estrenó cuatro obras, de las cuales sobresale *Algún día* (1950). Es un drama triste, pero no desolado de la monotonía de la vida de la clase media; la ambigüedad de la escena final, que repite la acción de muchos años antes, ofrece tanto la posibilidad de otro fracaso como la esperanza de que esta vez se haga la felicidad. MARIA ASUNCION REQUENA (1915), afiliada al grupo de la Universidad Católica, es autora de una obra variada en la que predominan las notas histórica y social. *Fuerte Bulnes* (1955) es un retablo de las relaciones entre indios y colonos en el extremo sur del país en 1843, y en *Pan caliente* (1958) escribió de la fraternidad de los pobres en un pueblo desolado. En *El camino más largo* (1959), trató la historia de la primera mujer que ejerciera de doctora en medicina en Chile. DINKA DE VILLARROEL (1909) se preocupa por los problemas psicológicos desarrollados a raíz del problema social; *Campamentos* (1945) trata la corrupción del sindicalismo y la lucha de los obreros por una mejor vida. En *La última trampa* estudió la pelea entre el blanco, dueño de la tierra, y los inquilinos rurales aliados con los indios. Cierta dosis melodramática en estas obras de fuerte sentido social no impidió que escribiera una divertida comedia francesa, *La carta*.

Otras importantes figuras de la generación madura son ENRIQUE BUNSTER (1912) e ISIDORA AGUIRRE (1919). Después de trabajar con elementos folklóricos en *Un velero sale del puerto* (1938), Bunster bebió de la misma fuente para *La isla de los bucaneros* (1946), basada en la leyenda popular de un tesoro pirata escondido en la isla Juan Fernández. Ha escrito sólo una obra más, *Nadie quiere saberlo* (1956). Aguirre comenzó con tres obras representadas por el Teatro Experimental de la Universidad de Chile, entre las que figuraba *Carolina* (1955), su obra más conocida. Siguió una línea realista en *Dos y dos son cinco* (1956), del choque entre clase media y proletariado y *Las pascualas* (1957), tres mujeres que mueren de amor por el mismo hombre. *Población esperanza* (1959), escrita en colaboración con el novelista Manuel Rojas, trata la miseria de las clases deprimidas, pero con una técnica más al tanto de la moda actual. También ha practicado la vis cómica, que floreció en 1960 con la comedia musical de gran éxito, *La pérgola de las flores*. Otro dramaturgo de variadas capacidades es CAMILO PEREZ DE ARCE (1912), que escribe con el pseudónimo de James Ernhard. Su obra abarca el drama surrealista *El Cid* (1950), la comedia *Sesentaiséis trece*, y el drama histórico *El correo del rey* (1955). Ha escrito asimismo *Comedia para asesinos* (1957), feliz combinación de drama policíaco y estudio psicológico.

Uno de los más interesantes dramaturgos de esta promoción madura, emparentada cronológica y estéticamente con la siguiente, es FERNANDO DEBESA (1921). En *Mama Rosa* (1957) dio un retrato cabal de cincuenta años de la vida de una familia, vista a través de sus vínculos cotidianos con el ama de la casa. Es una obra sólidamente construida y de bien trazadas relaciones personales. En *Bernardo O'*

Higgins (1961) empleó la retrospección para tratar de dar algo de dimensión humana a la figura del libertador casi deshumanizado por la leyenda, con éxito desigual. Recientemente ha persistido en la línea histórica en *El guerrero de la paz*, el padre Valdivia y su tentativa de pacificar a los araucanos a comienzos del siglo XVII.

Entre el grupo joven figuran algunos dramaturgos ya muy conocidos en Europa y los países hispanoamericanos. * LUIS ALBERTO HEIREMANS (1928-1964) fue actor y autor de diversas obras de altos méritos, comenzando con *Noche de equinoccio* (1951). Entre sus muchas obras merecen señalarse *Moscas sobre el mármol* (1958), estudio psicológico profundo pero no totalmente seguro en la construcción; *Los güenos*, auto sacramental de ambiente chileno, y el libreto de la primera comedia musical chilena, el éxito clamoroso *Esta señorita Trini* (1958). *La jaula en el árbol* (1957) es alta comedia de buena ley, pero es posible que su aporte más significativo sea *Versos de ciego* (1960). En éste enfoca el tema de los Reyes Magos en el mundo actual, empleando la tradición poética popular para alcanzar significado simbólico nuevo dentro de una estructura relacionada con la tradicional medieval. En *El abanderado* (1962) siguió sus investigaciones de la posibilidad de un teatro arraigado en el folklore.

LECTURAS: *Versos de ciego*, Santiago, 1962.

BIBLIOGRAFIA: Julio Durán Cerda, "Actuales tendencias del teatro chileno", *Rev. Interamericana de Bibliografía*, XIII (1963), 152-175.

EGON WOLFF (1926) se interesó primero por el psicologismo dentro de una técnica realista; sus primeras obras incluyen *Mansión de lechuzas* (1957) y *Discípulos del miedo* (1958), estudio de una clase media indiferente a todo lo que no sea el miedo a la pobreza. En *Parejas de trapo* (1959) atacó el arribismo de la misma clase y el hermetismo de la alta. Siguió en 1950 con *Niñamadre* y en 1962 con *Esas 49 estrellas*; ese mismo año estrenó *Los invasores*, fantasía del terror de los pudientes cuando los pobres silenciosa pero tenazmente invaden y conquistan el barrio adinerado. Ya no es el realismo de antes; Wolff ha evolucionado hacia una actitud dramática en la que el aparente realismo sirve para subrayar el elemento irreal.

LECTURAS: *Los invasores*, en: Carlos Solórzano, *El teatro hispanoamericano contemporáneo*, t. 1, México, Fondo de Cultura Económica, 1964.

BIBLIOGRAFIA: Julio Durán Cerda, "Actuales tendencias del teatro chileno", *Rev. Interamericana de Bibliografía*, XIII (1963), 152-175.

Entre este grupo joven ha tenido mucha suerte con representaciones de su *Parecido a la felicidad* (1959) en gira internacional * ALEJANDRO SIEVEKING (1934); otras obras suyas incluyen *Mi hermano Cristián* (1960) y *Animas de día claro* (1962), basado en la superstición popular de que los muertos que no lograron algún deseo se quedan en la tierra. Las ánimas del drama de Sieveking son cinco hermanas condenadas a purgar aquí el no haber alcanzado lo que anhelaban; las hemanas por fin consiguen sus anhelos, y la obra despide un sentimiento de felicidad y gozo. Donde ha rendido más Sieveking es en el realismo psicológico, por ejemplo *La madre de los conejos* (1961), drama acerca de las tensiones insoportables dentro de una familia entroncada con las de O'Neill. Los personajes son seres vivos, y el desastre inexorable surge de manera necesaria de la acción dramática.

LECTURAS: *La madre de los conejos*, en: *Escenario*, I, 1 (abril 1961), 1-25.

BIBLIOGRAFIA: Julio Durán Cerda, "Actuales tendencias del teatro chileno", *Rev. Interamericana de Bibliografía*, XIII (1963), 152-175.

SERGIO VODANOVIC (1927) alterna entre el ataque a la corrupción social y política (*Deja que los perros ladren*, 1949) y la comedia de éxito popular (*Mi mujer necesita marido*, 1953; *La cigüeña también espera*). FERNANDO JOSSEAU (1924) demuestra la influencia existencialista de Sartre y Camus en *César*, un dictador que espera que le asesinen, *Las goteras*, drama de un hombre perseguido que se refugia con una prostituta, y *Esperaron al amanecer* (1945), de la carencia de esperanzas en el mundo de hoy. En 1956 estrenó *El prestamista, tour de force* en el que un solo actor sostiene la tensión dramática a través de tres actos y tres personajes. Escrito como reacción al gran aparato y la falta de funcionalidad de gran parte de la escenografía acostumbrada, el enorme éxito de la obra se debe al excelente diálogo y, las capacidades del actor para quien fue escrito, Raúl Montenegro. Tanto la obra como el actor han sido premiados repetidas veces.

Las obras de ENRIQUE MOLLETO LABARCA (1923) son siniestramente sugerentes; aluden a pecados oscuros y tentativas de regeneración. *La torre* (1961) muestra la postrera pudrición de una familia mediante la existencia de un nebuloso monstruo que mora en la torre de la casa. En *El sótano* (1963) sus personajes acongojados por la culpa funcionan dentro de un marco realista, pero por detrás yace todavía el horror. Entre las figuras más recientes destaquemos a JUAN GUZMAN AMESTICA (1931), autor de *El caracol* (1961) y *Wurlitzer*, inquieto ante el desencuentro de generaciones, y el muy vanguardista JORGE DIAZ GUTIERREZ (1930). Muy influido por las corrientes del teatro nuevo francés, demuestra demasiado claramente esta parentela en *El cepillo de dientes* (1961), *Réquiem para un girasol* (1961) y *El velero en la botella* (1962). *Variaciones para muertos en percusión* (1964) es una obra amargada y tercamente de vanguardia; cuando aprenda Díaz a disciplinar su talento y confiar menos en valores puramente de choque teatral, lo cual da muestras de hacer en *Variaciones*..., hará una aportación considerable a la dramaturgia de su país.

BIBLIOGRAFIA: Julio Durán Cerda, "Actuales tendencias del teatro chileno", *Rev. Interamericana de Bibliografía*, XIII (1963), 152-175; Willis Knapp Jones, "Chile's drama renaissance", *Hispania*, XLIV, 1 (March, 1961), 89-94; —, "New life in Chile's theater", *Modern Drama*, II, 1 (May, 1959), 57-62; "Primera reunión nacional de dramaturgos", *Anales de la Univ. de Chile*, año CXVII, 115 (tercera entrega 1959), 114-135; Orlando Rodríguez B., "Caminos nuevos en el cuarto festival nacional de teatro aficionado e independiente", *Apuntes*, 14 (agosto 1961), 1-5; Domingo Tessier, "El teatro experimental de la Univ. de Chile", *Rev. Univ. de México*, XI, 3 (nov. 1956), 15-19.

XIV. EL NUEVO TEATRO CUBANO

Alrededor de 1944 apareció la nueva promoción, caracterizada por ser más gente de teatro, menos literata que la anterior, y es en gran parte producto de ADAD. Estos valores nuevos pronto formaron sus propios grupos; entre otros, Prometeo (1947), y Teatro Popular (1943), de orientación política, y valioso por haber llevado el teatro a los barrios pobres. En 1947 se estableció la Academia Municipal, que ha ayudado y estimulado el desarrollo posterior.

Este nuevo grupo se compone, en términos generales, de dos promociones. La primera pertenece realmente a la segunda vertiente de la generación nacida entre 1894 y 1924, y refleja el desdoblamiento técnico que caracteriza el reciente teatro en general, aunque tiene preocupaciones sociopolíticas bastante fuertes. Entre los dramaturgos de mayor intención política figura PACO ALFONSO (1906), que comenzó su carrera artística escribiendo a sueldo propaganda política; cuando se dedicó al teatro, esta orientación le formó. Las motivaciones de sus personajes son frecuentemente externas, y éstos son símbolos políticos en vez de seres humanos. En *Yerba hedionda* (1951), obra antirracista, se ve la influencia de Brecht en el empleo de baile, cortes de cine y escenas breves y lacónicas; la obra tambalea al borde de la propaganda. *Cañaveral* (1950) es un dramón propagandístico violento y apasionado. Más interesante es *Yari Yari, Mamá Olúa* (1941), drama popular lírico que traza, en escenas oscilantes entre el poder y el sentimentalismo, la trayectoria de un pueblo africano raptado en masa y transportado a la esclavitud en Cuba. El teatro de Alfonso es, en el fondo, violento y anárquico; la forma siempre sale demasiado aparatosa.

BENICIO RODRIGUEZ VELEZ (1910) es igualmente autor de un teatro enfático de "patriótica denuncia", que más tiene de propaganda que de teatro. *Vida subterránea* (1943) delata la explotación de los mineros: *Realengo 20* (1949) ataca los desalojos en masa de los campesinos.

Los dos dramaturgos de mayor trascendencia de este grupo son CARLOS FELIPE (1914) y VIRGILIO PIÑERA (1914), y forman la excepción a la regla de la orientación política, aunque en Piñera aparece muchas veces una notoria actitud de crítica social. Piñera ejerce una importante influencia en los jóvenes dramaturgos hoy por sus afinidades con el absurdo, y su disposición hacia un teatro de sobresaltos, además de lo que significa como lección de tenacidad; lleva más de veinticinco años de escribir teatro a pesar de que antes de 1958 encontró pocas posibilidades de estrenar. Sus obras tienen una cualidad grotesca, a veces discontinua. *Electra Garrigó* (1948) utiliza el mito clásico para explorar la violencia de la vida cubana; *Jesús* (1950) es más logrado, y hay dimensión trágica en la figura del peluquero fiel a su verdad, a pesar de todo y de todos. *Aire frío* (1958) también está en una línea realista, pintando el estancamiento moral y el mortal aburrimiento de la vida cotidiana. Muy kafkiana es la violenta farsa *Falsa alarma* (1957), feroz sátira de la aplicación mecánica de la justicia corrompida. Piñera conoce muy bien los recursos del teatro, pero a veces su desenfreno le lleva a incurrir en crudezas innecesarias.

Carlos Felipe está muy influido por el freudismo. *El chino* (1947) es una experimentación con el sueño como medio de escaparse de la frustración amorosa. El protagonista de *Capricho en rojo* (1948) enloquece a raíz de un complejo de culpa; es una extraña obra de ambiente carnavalesco alucinado. *El travieso Jimmy* (1949) sufre menos de lo que se ha llamado con sobrada razón la frondosidad romántica de Felipe; estudia una tentativa perfectamente gratuita de destruir psíquicamente a un grupo de personas, que termina reforzándolas espiritualmente. En *Ladrillos de plata* (1958) la pintura del disloque psíquico causado por el erotismo enfermizo es demasiado exagerada. Aunque escribe poco últimamente, ha provocado gran interés con *Réquiem por Yarini* (1962), intento de encontrar bajo los hechos escabrosos de las hazañas y la muerte de un notorio chulo, un significado mayor. Emplea diestramente el grupo coral, la danza y las avanzadas técnicas teatrales, pero como todas sus obras, sufre el diálogo de ampuloso y de momentos estáticos.

El segundo grupo se caracteriza por el énfasis psicológico y el rechazo del teatro político. ROBERTO BOURBAKIS (1919) es autor de obras simbólicas e imaginativas, adicto a un diálogo artificioso y algo libresco. *Survey* (1950) es sátira en un acto en la cual un ángel registra las opiniones populares respecto a la existencia de los ángeles. Fantasía satírica también es *La rana encantada* (1950), mientras que *La gorgona* (1951) es monólogo histórico ubicado en 1315 y en *Las buhardillas de la noche* (1949) tenemos varias historias enlazadas por una figura satánica. NORA BADIA (1921) es autora de dos monólogos muy conocidos, *La alondra* (1947) y *Mañana es una palabra* (1950), una de las mejores creaciones de este tipo. Mucho más extensa es la labor de ROLANDO FERRER (1925). *La hija de Nacho* (1951) es un estudio de represión y frustración; los personajes agonizan en un mundo estancado hasta estallar. *Lila la mariposa* (1954) retrata en términos freudianos la obsesión de una mujer con su hijo, y *La taza de café* (1959) es un cuadro brillante de la rebelión final de una pariente pobre contra la prima-patrona. Posteriormente, Ferrer ha escrito casi exclusivamente breves obras de orientación propagandística, de estructura ceñida y reducido interés dramático; ojalá y se vuelva a dedicar al teatro psicológico en el que se ha distinguido tanto.

Muy aficionado al diálogo poético, RENE BUCH (1926) ha escrito varias obras de índole psicológica. *Nosotros los muertos* (1948) dramatiza en un acto comprimido complejos de Edipo y Electra, y *Del agua a la vida* (1948) es un cuadro del desamparo de los jóvenes que se rebelan contra la mediocridad de la clase media provinciana. Su mejor obra es *La caracola vacía* (1951), excelente drama de una mujer desengañada que trata de impedir la boda de su hija. En el diálogo conciso y la visión poética de la psicopatología, es uno de los mayores logros del teatro cubano actual. También autor de obras poéticas de categoría es EDUARDO MANET (1927). *Scherzo* (1948) plantea problemas eternos desde un punto de vista poético y de gran vuelo imaginativo. *Presagio* (1950) es un drama estilizado a lo griego, con música y palabras simbólicas en un ambiente irreal. También es autor del entremés lírico *La infanta que quiso tener ojos verdes*; actualmente, se dedica al teatro infantil.

RAMON FERREIRA (1921) alcanzó mucho éxito con *Donde está la luz* (1956) y *Un color para este miedo* (1957); después ha callado. LEOPOLDO HERNANDEZ reflejó la mutilación espiritual del hombre moderno en *La pendiente* (1959). MATIAS MONTES HUIDOBRO (1931) durante un tiempo escribía dentro de las corrientes actuales empleando una estructura rápida y extralógica. *Las cuatro brujas* (1949) trata la predestinación; *Sobre las mismas rocas* (1951) refleja la parálisis de una metrópoli debida a la supercivilización indiferente. En *Sucederá mañana* empleó el escenario doble para presentar la idéntica pérdida de familias enemigas durante la guerra. Su primera obra llanamente realista es *El verano está cerca*, de asunto sociopolítico; *Las caretas* y *La puerta perdida* pintan la sensualidad del carnaval y una familia ahogada por las convenciones. En los últimos años Montes Huidobro, que tanto prometiera cuando apenas dejaba la adolescencia, ha escrito sólo unas cuantas obras breves de orientación social.

FERMIN BORGES (1931) también parece haber abandonado la creación teatral de mayor vuelo, pero antes escribía dentro del neorrealismo, preocupado por la agonía cotidiana. *Gente desconocida* (1953) presenta los sufrimientos de una pareja pobre en un ambiente de borrachera y pelea; *Pan viejo* (1954) sigue la misma línea para retratar el fracaso de la ilusión, y *Doble Juego* (1954) muestra la adolescencia completamente depravada. JOSE A. MONTORO AGUE-

RO (1930) delata la influencia de Chejov y Williams en su manera
de indagar en problemas psíquicos causados por el tedio y la degradación.

El teatro de esta promoción nueva lleva el sello muy particular
de los fenómenos políticos de Cuba. El decaimiento del teatro vernáculo había dejado al país casi sin espectáculos teatrales, y en el
período 1954-1958 compañías profesionales y semiprofesionales esce-
nificaron solamente treinta obras, muchas de las cuales fueron farsas
astrakanadas o comedias inferiores. Los que escribían tenían pocas
probabilidades de ver representadas sus obras, y los trastornos políticos aumentaron los obstáculos. La llegada al poder del nuevo gobierno
influyó poderosamente en círculos teatrales, de diversas maneras. Algunos dramaturgos han callado, dentro y fuera de Cuba; otros se
dedican a la confección de obras políticas de escaso interés. Por otra
parte, el gobierno ha estimulado de diversas maneras la creación de un
teatro vital, hasta el punto de que en Cuba hoy es donde más teatro
hispanoamericano se representa. Se debe este hecho a los Festivales
de Teatro Latinoamericano llevados a cabo cada año. También se
han creado el Teatro Nacional (1959) para preparar a dramaturgos
y actores jóvenes, el Teatro Infantil (1961) y el Teatro Experimental,
además de los Consejos de Cultura regionales. Hay un programa serio
para desarrollar los grupos de aficionados, obreros, etc., y si muchas
veces presentan obras originales cuyos títulos subrayan muy claramente su carácter político, también se presentan obras de alto interés.
El saldo positivo de esta actividad se ve en la obra de cinco dramaturgos aparecidos desde 1959, Abelardo Estorino, Antón Arrufat,
Manuel Reguera Saumell, José Brene y José Triana.

Este grupo más reciente se bifurca en dos corrientes: Estorino
y Reguera Saumell son básicamente realistas, mientras que Arrufat
y Triana son experimentalistas, con Brene entre las dos tendencias.
* ESTORINO (1925) es autor de *El robo del cochino* (1961), obra
que capta todo el estrecho espíritu egocéntrico de la provincia a
través de un excelente diálogo natural y la bien lograda creación de
personajes, dentro de una serie de confrontaciones cada vez más dramáticas hasta el estallido final. En otras obras Estorino ha buscado
depurar su técnica, como en el conflicto entre un hombre mimado por
su hermano, la mujer, y la frustrada hermana beata, en *El peine y
el espejo* (1963); también ha cultivado las técnicas nuevas en *Las
vacas gordas* (1962), de contenido social y forma de comedia musical
de jazz. Pero lo mejor de Estorino sigue siendo la cuidadosa delinea-
ción de la realidad cubana que es *El robo del cochino*.

LECTURAS: *El robo del cochino*, en: Carlos Solórzano, *El teatro hispanoamericano contemporáneo*, t. 2, México, Fondo de Cultura Económica, 1964.

BIBLIOGRAFIA: *La Gaceta de Cuba*, II, 19 (3 de junio 1963)

* MANUEL REGUERA SAUMELL (1928) está preocupado por el papel de la familia, aun en obras de orientación política como *El general Antonio estuvo aquí* (1961). *Sara en el traspatio* (1950) es realismo fotográfico de las frustraciones de la vida provinciana y de una familia en pleno trance de desintegración, tema que volvemos a encontrar en obras de menor éxito, *Propiedad particular* (1962) y *La calma chicha* (1963). En su mejor obra, *Recuerdos de Tulipa* (1962), Reguera Saumell dio nuevo sentido a este tema obsesivo. Tulipa es una bailarina reducida a desnudarse públicamente en un carnaval de poca monta, y la obra sigue sus intentos de escaparse de su ambiente de chiquero moral, y de impedir que embauquen a otra más joven para que la reemplace. La clave de la obra es la figura de Tulipa, envejecida y deteriorada pero todavía con dignidad en medio de la impostura. Como Estorino, Reguera Saumell toca a veces la nota política, pero en sus mejores obras, también como Estorino, evita lo pasajero para crear obras de profundo sentido humano.

LECTURAS: *Recuerdos de Tulipa*, en: *La Palabra y el Hombre*, 27 (julio-sept. 1963) 475-510.

BIBLIOGRAFIA: *La Gaceta de Cuba*, II, 19 (3 de junio 1963).

Arrufat y Triana están en otro polo diametralmente opuesto. Nacido en 1935, * ANTON ARRUFAT ha sido profundamente influido por las posibilidades dramáticas de la mezcla de disparate y sabiduría, humorismo y patetismo del teatro bufo, y muchas de sus obras ofrecen una vista tangencial de una realidad desconcertante. *El vivo al pollo* (1961), inspirado en un clásico del género bufo, *El velorio de Pachencho* (1961) de los hermanos Robreño, presenta a una viuda que mandó embalsamar a su difunto marido. La obra es desenfrenadamente cómica, un comentario paródico a nuestro miedo a la muerte. En *El caso se investiga* (1957), ridiculiza la justicia mediante la más desacertada investigación policíaca concebible; hay un recuerdo fuerte de las comedias de Mack Sennett en el desarrollo antilógico de la obra. En otras obras estudia la naturaleza aparentemente cíclica de la vida, en la que nada cambia realmente bajo el aparente fluir temporal. * JOSE TRIANA (1933) suele presentar personajes de clase popular que viven precariamente en un medio hostil, rodeados de lo irracional y violento. *Medea en el espejo* (1960) reinterpreta el mito clásico en términos de un solar cubano, con coro popular estilizado y deliberado tono paródico. *El Parque de la Fraternidad* (1962) es un largo encuentro entre tres tipos trotamundos que parecen simbolizar de manera despectiva la trinidad cristiana. Cercana en espíritu al antiteatro de Beckett, la obra es una denuncia de la bancarrota de la religión ortodoxa en el mundo moderno. La incapacidad de los personajes para comunicarse de cualquier manera significativa aparece también en *El mayor general hablará de teogonía* (1960), mientras que *La muerte del ñeque* emplea tipos y líos arrabaleros que funcionan en dos niveles de realidad.

JOSE R. BRENE (1927) llegó al teatro en 1961; es fecundo, fácil y frecuentemente superficial, pero ha sido un gran éxito popular. Muchos de sus dramas están escritos en la tradición del teatro vernáculo, con elemento musical no siempre integrado a la acción y un diálogo cómico de recursos populares. Brene es el más abiertamente político del grupo joven, pero representa la misma obsesión de los otros con las frustraciones de la vida de todos los días. Su mayor éxito ha sido *Santa Camila de la Habana Vieja* (1962). Es temprano para enjuiciar a los otros jóvenes surgidos a raíz del nuevo movimiento cubano, pero el panorama en general es muy alentador. Atentos al teatro mundial, pero apegados a la tradición popular nacional, los mejores están haciendo un teatro más social que político, más humano que dogmático o partidario.

BIBLIOGRAFIA: *La Gaceta de Cuba*, II, 19 (3 de junio 1963), número entero dedicado al nuevo teatro cubano; Natividad González Freire, *Teatro cubano*, 1928-1961, La Habana, Ministerio de Relaciones Exteriores, 1961; Rine Leal, "Actuales corrientes en el teatro cubano", *Nueva Rev. Cubana*, I, 1 (abril-junio 1959), 163-170; —, "El teatro en un acto en Cuba", *Rev. Unión*, 5-6 (enero-abril 1963), 52-75; Virgilio Piñera, "El teatro actual", *Casa de las Américas*, IV, 22-23 (enero-abril 1964), 95-107.

XV. EL TEATRO PERUANO EN EL SIGLO XX

Al hacer este recorrido del teatro moderno de la América Hispánica, hemos tratado en lo posible de escindir cada movimiento nacional en las diversas promociones del proceso orgánico total. En el caso del Perú no es factible hacer tal división, ya que el teatro peruano apenas contaba con dramaturgos nativos antes de la Segunda Guerra Mundial. El curioso proceso visible en varios países, mediante el cual dos generaciones cronológicas de diversa formación colaboran en la renovación teatral, caracteriza al teatro del Perú. En el deprimente panorama anterior había unos destellos. FELIPE SASSONE (1884-1959) vivió y escribió en España y pertenece a la historia del teatro español, pero dos dramaturgos de interés son JOSE CHIOINO (1900) y LEONIDAS YEROVI (1881-1917). Chioino, visiblemente influido por Shaw, es dramaturgo complejo y cerebral, apegado a múltiples niveles psicológicos; su obra más destacada es *El retorno* (1923). Yeroví escribió ocho obras bajo el signo del sainete argentino, pero dentro de un desarrollo dramático más avanzado, que apunta hacia las tendencias actuales. *La gente loca* (1914) intenta en tono cómico el retrato complejo y multipersonaje de la sociedad moderna; en *La de cuatro mil* (1903) demostró su compasión hacia los pobres y su desdén por la hipocresía imperante.

Actualmente, ha mejorado mucho el estado del teatro peruano. Después de la Guerra se estableció mayor contacto con el teatro mundial, en gran medida a raíz de una temporada de teatro moderno llevada a cabo por la actriz Margarita Xirgu. Se crearon la Escuela Nacional de Artes Escénicas y la Compañía Nacional de Teatro, así como el Premio Nacional de Teatro. La boga del teatro independiente o experimental cundió y en la actualidad hay media docena de equipos estables, además del Teatro de la Universidad de San Marcos. Se está llevando a cabo una lucha heroica, pero la falta de cohesión y la carencia de apoyo influyente causan que el teatro titubee todavía.

Entre los varios dramaturgos que durante años lucharon por el teatro se distinguió * SEBASTIAN SALAZAR BONDY (1924-1964), como casi todos los miembros de su generación, estudió en París. Las obras más importantes de Salazar Bondy son las que estudian lo que considera él la desolada realidad peruana, aunque a veces en obras de marcada nota cómica. Entre las más logradas figuran la farsa satírica

Amor, gran laberinto (1947) y *Algo que quiere morir* (1951), retrato del derrumbe de la moral de la juventud. En *No hay isla feliz* (1954), vemos la ruina espiritual de una familia a través de treinta años, la desesperación de un mundo en el que no hay en donde refugiarse; termina en la negación total al encerrarse el protagonista con su mujer difunta para incendiar la casa. *No hay isla feliz* fue dura e injustamente censurada en algunos sectores por su pesimismo y su supuesto existencialismo importado. En *El fabricante de deudas* (1963) abandonó la técnica realista; inspirándose en *Le faiseur* de Balzac, unió al tema social —la manía del dinero— una manera compuesta en parte de la farsa ágil y en parte de la influencia brechtiana. La temprana muerte de Salazar frustró uno de los grandes talentos del teatro peruano.

LECTURAS: *No hay isla feliz,* en: *Teatro peruano contemporáneo,* pról. de José Hesse Murga, Madrid, Aguilar, 1959; Lima, Edics. Club de Teatro, 1954; *El fabricante de deudas,* en: Carlos Solórzano, *El teatro hispanoamericano contemporáneo,* t. 1, México, Fondo de Cultura Económica, 1964.

BIBLIOGRAFIA: Solórzano: *Teatro latinoamericano en el siglo XX,* México, Pormaca, 1964, 150-151.

BERNARDO ROCA REY (1918) es uno de los pocos conocidos fuera del Perú; también estudió en París, donde *Loys* (1950) fue transmitida en traducción en la radio francesa. Su farsa *Las ovejas del alcalde* (1948) ha sido un éxito en Madrid. *La muerte de Atahualpa,* escrita en 1950 y estrenada siete años después en las ruinas preincaicas de Puruchuca es su mejor logro hasta ahora. Se diferencia de otras obras de esta línea indigenista en que presenta al inca condenado como verídico hombre torturado física y espiritualmente, en vez de abstracción de retablo. Muy preocupado por la herencia indígena es JUAN RIOS (1914), residente mucho tiempo en Europa y ganador de cuatro premios nacionales de teatro: *Don Quijote* (1946), *Medea* (1950), *Ayar Manko* (1952) y *Argos* (1954). Prefiere la evocación histórica y el estudio de figuras universales. En *Ayar Manko,* estudio de la lucha por el poder entre un grupo de príncipes de la familia real, buscó reproducir el ritmo del teatro prehispánico mediante la mezcla de baile, música y drama, y el diálogo repetitivo que remeda la repetición mnemotécnica de las obras anteriores a la Conquista le da un sabor a arqueología.

También formado intelectualmente en Inglaterra, España y Francia, allá comenzó PERCY GIBSON PARRA (1908) *Esa luna que empieza* (1946), terminándola en el Perú. En su deliberada abstracción y desindividualización, en su tentativa de elevar la vida cotidiana a un nivel mítico, está dentro de las corrientes universalistas. ENRIQUE SOLARI SWAYNE (1915) es autor de varias obras, de las cuales se ha representado una, *Collacocha* (1956). A pesar de su título nada tiene que ver con la recreación arqueológica que ha preocupado a varios otros; se trata de la lucha de un solo hombre por realizar el sueño del túnel trasandino. Si a veces el diálogo delata la falta de experiencia del autor, la recia construcción y, sobre todo, el personaje Échecopar, una de las más valiosas creaciones de la dramaturgia hispanoamericana, han hecho que la obra fuese un éxito punto menos que apoteósico en México y en el Perú, y la posibilidad de que un dramaturgo peruano construya una obra que tenga este éxito ha servido de estímulo a varios autores más jóvenes.

LECTURAS: *Collacocha*, en: *Teatro peruano contemporáneo*, pról. de José Hesse Murga, Madrid, Aguilar, 1959; en: *Teatro hispanoamericano. Tres piezas*, ed. Frank Dauster, New York, Harcourt, Brace and World, 1965.

BIBLIOGRAFIA: Solórzano, *Teatro latinoamericano en el siglo XX*, México, Pormaca, 1964.

Como se ha visto, esta promoción actual del Perú se compone de escritores más maduros que los de diversos otros países; se debe al hecho de que el país se encuentra todavía en una etapa relativamente temprana del proceso contemporáneo. No obstante, comienzan a surgir jóvenes dramaturgos, y es lícito esperar que pronto la nueva generación rinda.

BIBLIOGRAFIA: Fernando de la Presa Camino, "Panorama actual del teatro peruano", *Fanal*, XVI, 58 (1963), 26-31; José A. Hernández, "Notas sobre teatro peruano contemporáneo", *Mar del Sur*, IV, 10 (marzo-abril 1950), 62-74; Gonzalo Rose, "Teatro contemporáneo del Perú", *Humanismo*, III, 17-18 (feb. 1954), 83-87; *Teatro peruano contemporáneo*, pról. de J. Miró Quesada Sosa, Lima, Huascarán, 1948; *Teatro peruano contemporáneo*, pról. de José Hesse Murga, Madrid, Aguilar, 1959.

XVI. EL TEATRO EN LOS OTROS PAISES

Para que un movimiento teatral tenga significado verdadero, se necesita cierto grado de cultura general, un núcleo metropolitano donde haya tanto teatro como interés por verlo. El novelista y el poeta pueden producir obras maestras trabajando en la más absoluta soledad, pero el teatro requiere público, actores, en fin, todo un conjunto de factores. La historia del teatro moderno en muchos países hispanoamericanos se reduce a una lista de unos cuantos héroes que pelean casi en el vacío. No obstante, el creciente ímpetu del reciente movimiento está echando raíces en terreno casi yermo, y en la mayoría de los países hay un movimiento relativamente bien definido.

COLOMBIA

Al lado de figuras menores como Germán Reyes y Daniel Samper Ortega (1895-1943), el primer nombre importante del teatro moderno colombiano es ANTONIO ALVAREZ LLERAS (1892-1956). Su obra numerosa se caracteriza por lo moralizante y el diálogo romántico; preferentemente escribía alta comedia que atacaba la hipocresía del éxito y otros males del mismo tipo. Sobresale en esta línea *Víboras sociales* (1911). ALEJANDRO MEZA NICHOLLS (1896-1920) se dedicaba al drama sentimental o rural en *Nubes de ocaso* (1911), *Lauro Candente* (1920) y *Golondrina errante* (1920). LUIS ENRIQUE OSORIO (1896) ensayaba la comedia político-social en obras cáusticas que critican la falta de comprensión y la arraigada indiferencia de la alta sociedad bogotana: *El iluminado* (1929), *La ciudad alegre y coreográfica* (1919). Fastidiado por la indiferencia cultural de su país, se marchó a París donde escribía en francés. Después ha vuelto a Bogotá donde practica la alta comedia de línea casi existencialista y el análisis irónico de la política colombiana. En sus últimas obras emplea situaciones dramáticas hechas para confeccionar comedias divertidas pero obvias.

Actualmente hay un movimiento realativamente definido. El mayor de los dramaturgos es OSWALDO DIAZ DIAZ (1910), autor de numerosas obras a partir de 1929. En *La comedia famosa de Antonia Quijana* (1947), de excelente factura psicológica, nos muestra a la sobrina del gran caballero, ansiosa de casarse con cualquiera que no haya oído ni hablar de novelas de caballerías. Fiel a su sangre, tampoco se aviene a casarse por conveniencia y sale para América con el Caballero de Aventuras. También ha escrito *Mydas* (1948), sátira simbólica de un hombre perdido en el mundo de negocios que encuentra la libertad en la creación artística.

Muy recientemente se ha definido mucho el movimiento. Hay pocos dramaturgos capacitados todavía, pero demuestra la vitalidad del impulso el hecho de haber sido recibidas treinta y dos obras en el Concurso de Autores Nacionales de 1959. El centro de la actividad, a pesar de los muchos grupos experimentales, es el Teatro Experimental de Cali (TEC) fundado en 1955, bajo la jefatura de Enrique Buenaventura y el director argentino Pedro Martínez. Ha despertado tanto interés este grupo, con su repertorio de lo mejor del teatro internacional, que actualmente hay once grupos en Cali. Ha cundido el movimiento nacional hasta tal punto que ahora hay un Festival Nacional de Autores Colombianos, y en 1963 se celebró la Primera Asamblea Nacional de Teatro.

Hasta ahora, el nuevo movimiento se alimenta de obras extranjeras, con excepción del director de TEC, * ENRIQUE BUENAVENTURA (1925). Prefiere manejar vastos temas que requieren gran movimiento y rapidez, y lo hace con soltura y habilidad en *La tragedia de Henri Christophe*, premiada por el Instituto Internacional de Teatro de la UNESCO en 1963, y *Réquiem para el Padre Las Casas*. Ha asimilado las técnicas modernas para desarrollar una manera particular de hacer teatro "épico". *En la diestra de Dios Padre* (1960) se basa en el conocido tema folklórico de Miseria; su tono populachero, distinto al de las otras obras de Buenaventura, demuestra sus variadas capacidades.

BIBLIOGRAFIA: Agustín del Saz, *Teatro hispanoamericano*, t. 2, Barcelona, Vergara, 1963; Carlos Solórzano, *Teatro latinoamericano en el siglo XX*, México, Pormaca, 1964.

VENEZUELA

En Venezuela, como en la mayoría de los países hispanoamericanos, abundaba a fines del siglo pasado y comienzos del presente el género chico, derivando hacia el sainete criollo, siendo el sainetero más importante SIMON BARCELO (1873-1938), cuyo éxito mayor es *La cenicienta* (1907). A pesar de esto, y actividades esporádicas como las de ROMULO GALLEGOS (1884), autor de varias obras entre 1909 y 1915, hasta 1938 estaba casi aislado como pertinaz cultivador del teatro LEOPOLDO AYALA MICHELENA (1897), sainetero y autor de comedias realistas, de deficiente cultura teatral pero consagrado al teatro. En dicho año aparecieron RAMON DIAZ SANCHEZ (1903) y AQUILES CERTAD (1914), señalando el comienzo de la terca lucha que durara hasta 1950. Díaz Sánchez, más conocido como novelista, ha escrito poco para el teatro, pero *La casa* (1954), conocida también por *Debajo de estos aleros*, es un drama de tensiones domésticas bien desarrollado y de buen movimiento teatral. Certad es autor de forzadas, aunque muy aplaudidas, comedias domésticas y tentativas de teatro universal; ni él ni Díaz Sánchez ni Ayala Michelena lograron despertar el teatro venezolano de su largo sopor.

A partir de 1950 se ha registrado un progreso considerable. Desde 1949 trabaja firmemente con grupos experimentales el director uruguayo Horacio Peterson, y en 1950 se arraigó en Caracas la actriz argentina Juana Sujo, fundadora de la escuela Nacional de Artes Escénicas. La caída del dictador Pérez Jiménez aceleró el proceso, fundándose en 1954 la Federación Venezolana de Teatro, a la cual están afiliados casi todos los grupos experimentales que surgieron después, entre los cuales se destacan el Ateneo de Caracas, Las Máscaras, de orientación izquierdista, El Duende, Teatro Juana Sujo, dirigido mucho tiempo por el dramaturgo argentino Carlos Gorostiza, Teatro Universitario, Teatro Popular, entre muchos. Actualmente se celebra el anual Festival de Teatro, con promedio de doce a catorce estrenos de obras venezolanas.

Los tres dramaturgos más importantes de hoy en el teatro venezolano son CESAR RENGIFO (1916), ROMAN CHALBAUD (1924) e * ISAAC CHOCRON (1932). Rengifo es muy activo a partir de 1949, y su obra se bifurca en dos rutas: la social y la de la preocupación por la ambivalencia en la moral. Estas dos tendencias se conjugan en el interés por los desadaptados y rechazados. En *Soga de niebla* vemos el conflicto espiritual de un hombre débil obligado a servir de verdugo; *Manuelote* (1954) estudia la ambigüedad de un esclavo asesino de su mujer pero soldado de la libertad. *Obcénaba* (1959) es de asunto indigenista, y *Lo que dejó la tempestad* (1961) se ubica en la Guerra Civil de 1865, empleando la retrospección y un ambiente de fatalismo estilizado para captar el sentir popular. El teatro de Rengifo se resiente algo de lo enfático, pero es un teatro de valor.

Mucho más enfática es la obra de Román Chalbaud, y ha provocado grandes controversias. Sus defensores atribuyen sus dificultades con la censura a su extremada actitud política, mientras que otros las achacan a la escabrosidad de sus obras. En *Muros horizontales* (1953) y *Caín adolescente* (1955) trató el problema de la enajenación del campesino trasladado a la ciudad; *Réquiem para un eclipse* (1958) emplea la deformación sexual como metáfora de la sociedad y la desadaptación. *Sagrado y obsceno* (1961) utiliza la misma temática de la inocencia y el vicio para la denuncia social izquierdista. Chalbaud es capaz de crear excelentes escenas, pero su insistencia en la política desbarata a veces la estructura dramática.

Tema común a estos tres dramaturgos es la falta de comunicación humana en el mundo moderno, empleado por Isaac Chocrón en *Mónica y el florentino* (1959), donde una casa de huéspedes sirve de metáfora dramática. Quizá la mejor obra del movimiento reciente en Venezuela sea *El quinto infierno* (1961), excelente drama de la soledad y el fracaso de los que son incapaces de basar sus acciones en el amor. Chocrón es el más joven de estos tres y el de mayor potencia creadora para el teatro.

Hay que señalar dos figuras más, la poetisa IDA GRAMCKO y el novelista ARTURO USLAR PIETRI (1906). Aquélla ha intentado en *María Lionza* (1957) y otras obras la dramatización en verso de mitos populares, con éxito desigual. Si a veces la mezcla de lirismo y espectáculo es impresionante, hay también mucho relleno de poco valor dramático. El teatro de Uslar Pietri, por el contrario, es de índole intelectual en *El dios invisible* (1957). En *El día de Antero Albán* escribió una obra bien estructurada dentro de corrientes técnicas actuales, pero su obra mejor es *Chúo Gil y las tejedoras* (1960), de especial interés por la lograda creación de personaje y el retrato de la pacata mentalidad provinciana.

BIBLIOGRAFIA: Sergio Antillano, "Ideas actuales en el teatro venezolano", *El Farol*, XXIII, 196 (sept.-oct. 1961), 3-11; José Juan Arrom, "En torno al teatro venezolano", *Rev. Nacional de Cultura*, VII, 48 (enero 1945), 3-10; Juan Liscano, "Cientocincuenta años de cultura venezolana: Historia y Bellas Artes". En: *Venezuela independiente, 1810-1960*, Caracas, Fundación Eugenio Mendoza, 1962, 625-631: Rafael Pineda, "Pasado y presente del teatro en Venezuela", *El farol*, XV, 150 (feb. 1954), 32-33.

GUATEMALA

El tamaño reducido del público teatral y los pocos recursos han estorbado gravemente el desarrollo de un movimiento orgánico en las repúblicas centroamericanas, donde las actividades generalmente quedan reducidas a las heroicas tentativas de unos cuantos hombres. En Guatemala hay un perfil un poco particular; el gobierno de Estrada Cabrera, como después el de Ubico, estranguló el costumbrismo por miedo a la sátira social ingénita al género. En 1930 fundó MIGUEL MARSICOVETERE Y DURAN (1912) el grupo Tepeus del que procede el más conocido de los dramaturgos guatemaltecos, Manuel Galich. Como autor, Marsicovétere y Durán representa la influencia del grotesco italiano, apasionado como estaba por el conflicto entre el hombre y la máquina que ve resuelto en la mecanización de la vida y la deshumanización del hombre. Sus personajes son marionetas incapaces de descubrir su propia identidad. En *La mujer y el robot*, predijo la destrucción del mundo a causa del retraso moral frente al desarrollo técnico, tema muy importante en el mismo momento en el teatro europeo. *El espectro acróbata* (1935) rompe con la realidad, mezclando elementos humorísticos y de horror; la obra está sorprendentemente cerca de algunas de las últimas de vanguardia.

MANUEL GALICH (1913) dirigió su propio grupo experimental entre 1938 y 1942, y escribió sus primeras obras para dicho grupo. Estas primeras obras son satíricas y costumbristas: *Papa Natas* (1938), ataque al materialismo; *M'hijo el bachiller* (1939) denuncia de la obsesión de que los hijos tengan cierta carrera a pesar de sus capacidades; *De lo vivo a lo pintado* (1943), asalto a las injustas prácticas legales, y otras. En muchas de estas obras el dramaturgo se deja llevar por sus creencias, y a veces depende más bien del hilo que de la acción dramática. No obstante, en sus mejores momentos son ágiles y divertidas, si bien ácidas. También escribió obras políticas: *El tren amarillo* (1954), contra las compañías bananeras, y *La mugre* (1953), en la cual critica vitriólicamente las debilidades del mismo gobierno en el que servía de Ministro de Educación y, después, de Relaciones Exteriores. También ha buceado en la tradición popular en la farsa *El canciller Cadejo* (1940), y *El señor Gukup Kakix* (1939), basado en el *Popol Buj*. Ha cambiado algo de estilo en *El pescado indigesto* (1961), donde emplea la farsa romana para satirizar los intereses mercantiles. La obra de Galich es ágil y rápida, pero adolece a veces de un exceso de vitriolo.

El distinguido novelista MIGUEL ANGEL ASTURIAS (1899) ha tratado en el teatro temas importantes en sus novelas: la mítica indígena y el subconsciente del pueblo. A veces alcanza a emplear de manera dramática el folklore y el ambiente de sueño, pero sus obras padecen de construcción floja, desligada de las realidades del teatro. Han aparecido varios jóvenes que tienen trazas de evolucionar hacia un movimiento coherente. Obstaculizado el desarrollo por el poco interés, la carencia de fondos y de teatros adecuados a diversos tipos de obra y escenografía, han logrado no obstante llevar a cabo en 1962 el Primer Festival de Arte Dramático Nacional.

BIBLIOGRAFIA: *Teatro guatemalteco*, sel. y pról. de Carlos Solórzano, Madrid, Aguilar, 1964.

OTROS PAISES CENTROAMERICANOS

El panorama total de los otros países, si harto deprimente en términos globales, no deja de tener destellos de sorprendente calidad. El Salvador goza de una tenue tradición teatral, consistente en Francisco Gavidia, José Emilio Aragón y José Llerena. GAVIDIA (1863-1955) de la generación modernista y con ribetes de romántico tardío, también mostró filiación costumbrista, pero en *La princesa Cavek*, de gran aparato y asunto prehispánico, mostró sus inquietudes por un teatro de temas americanos, accesible a todos. ARAGON (1887-1938), algo improvisado y reminiscente de Echegaray, también militaba en la fila vanguardista, empleando simultáneamente niveles temporales, y en 1926 *La propia vida* reveló la influencia pirandeliana en su historia de un actor que proyectaba la vida de las tablas en su propia vida. LLERENA (1895-1943) fundó en 1927 una Escuela de Prácticas Escénicas; su obra original consiste en sátiras moralizantes, espontáneas y vivas, si bien algo flojas de construcción. El movimiento actual parte de la fundación en 1952 del Departamento de Teatro de la Dirección General de Bellas Artes; ha sido de suma importancia bajo la dirección del actor y director español Edmundo Barbero. De la promoción actual se destacan ROBERTO ARTURO MENENDEZ y el diplomático * WALTER BENEKE (1928). Menéndez escribió en 1958 *La ira del cordero*, de la responsabilidad de los padres, vertido en el mito de Caín y Abel. Tiene indudable poder, aunque es más bien un retablo monolítico que un drama individualizado. Béneke, culto y europeizado, ha escrito *El paraíso de los imprudentes* (1958), retrato de la juventud rebelde de París, de recia construcción y personajes logrados, sin caer en lo grosero o el sentimentalismo. *Funeral home*, cuya acción se desarrolla en Estados Unidos, trata el tema de la responsabilidad y la libertad individuales frente al azar y el convencionalismo. Es de esperar que sus tareas diplomáticas no le distraigan mucho tiempo del teatro, porque Béneke es uno de los mejores de la reciente promoción hispanoamericana.

LECTURAS: *Funeral home*, en: Solórzano, *El teatro hispanoamericano contemporáneo*, t. 2, México, Fondo de Cultura Económica, 1964.

BIBLIOGRAFIA: Solórzano, *Teatro latinoamericano en el siglo XX*, México, Pormaca, 1964, 171-172.

Ultimamente el joven WALDO CHAVEZ VELASCO escribió su *Fábrica de sueños*, exagerado pero prometedor; es una obra de ambiente irreal y propósitos metafísicos.

A partir de 1918 escribe aisladamente obras melodramáticas el nicaragüense HERNAN ROBLETO (1893), pero en 1935 el grupo Vanguardia, inquieto por las posibilidades de un teatro social de raíces populares, intentó crear un movimiento de ímpetu folklórico. PABLO ANTONIO CUADRA (1912) quiso reproducir el espíritu colectivo espontáneo de la poesía popular en *Por los caminos van los campesinos* (1937). Al añadir a su serie de problemas locales, la pretensión de expresar verdades universales, cargó demasiado la obra. Ha escrito muchas otras obras de inspiración popular. JOAQUIN PASOS (1915-1947) y JOSE CORONEL URTECHO (1906) colaboraron para producir *Chinfonía burguesa* (1939), basada en la leyenda y la poesía populares, rechazando el realismo para crear un claroscuro violento por el cual pasan máscaras grotescas.

En Costa Rica JOSE FABIO GARNIER (1884) cultiva desde

1912 un teatro de tono apagadamente romántico. ALFREDO CASTRO FERNANDEZ se deja llevar por las corrientes psicoanalíticas y después existencialistas. Su teatro es muy subjetivo, y lo escribe en francés para después traducirlo al español. La tendencia melodramática suele culminar en escenas finales de desenfrenada pasión y excesiva teatralidad.

El teatro panameño sufre la misma existencia esporádica, pero cuenta con un dramaturgo serio preocupado por salvar la herencia cultural hispánica, MARIO RIERA PINILLA (1920), y otro más joven, * JOSÉ DE JESUS MARTINEZ, que empezó a escribir teatro hace diez años, y es autor de una obra numerosa. Su *Juicio final* (1962) es una verdadera muestra de lo que se puede hacer trabajando casi en el vacío; emparentado con el teatro de Beckett pero de factura original, es una obra excelente de depurada expresión moderna. El estímulo de Riera Pinilla y Martínez ha conducido a la formación en 1963 del Festival Teatral de los Barrios, tentativa de llevar el teatro al pueblo, a precios reducidos. En este movimiento colaboran diversos jóvenes, y es de esperar que del grupo salgan otros valores nuevos.

BIBLIOGRAFIA: Víctor F. Ardón, "La producción dramática en Honduras", *Humanismo*, VI, 48-49 (marzo-junio 1958), 116-126; "En el cincuentenario del teatro nacional", *Lotería* (Panamá), III, 35 (oct. 1958), 40-67; Hugo Lindo, "Jóvenes dramaturgos de El Salvador", *Estudios Centro Americanos*, XV, 154 (nov. 1960), 584-591.

OTROS PAISES

En la mayoría de los restantes países se libra la misma lucha por hacer teatro en un ambiente estéril. En el Ecuador, el novelista de marcada orientación social naturalista JORGE ICAZA (1909), escribió de joven algunas piezas parecidas a sus novelas. Otro novelista social, de la misma generación, DEMETRIO AGUILERA MALTA (1909), comenzó a cultivar el teatro en 1941, con *Lázaro*, de la miseria de los maestros a sueldos de pobreza. Después ha escrito diversas obras entre las que sobresalen *Dientes blancos* (1954), de buena presencia teatral al pintar un cuadro impresionista de la humillación del negro, y *El tigre* (1956), del colapso total de un hombre a causa del miedo supersticioso. Aguilera Malta ha progresado mayormente en el teatro, aunque algunas de sus obras demuestran todavía debilidades técnicas.

En diversas obras, notablemente *Luto eterno* (1954), ha desarrollado PEDRO JORGE VERA (1914) un estilo medio serio, medio grotesco, de tendencia social en su crítica de costumbres y actitudes. En *Luto eterno* desnuda la beatería y el fanatismo en una obra de valores positivos; su mayor debilidad es el tono literario, palabrero.

Hay algunos jóvenes que colaboran en grupos experimentales, y el Teatro Experimental de la Universidad Central lleva sus producciones en giras por el interior del país. Director del Teatro Experimental de la Universidad Católica de Quito es FRANCISCO TOBAR GARCIA (1928), autor de numerosas obras y hasta hace muy poco casi el único dramaturgo ecuatoriano estrenado con cierta frecuencia, y eso casi exc'usivamente en círculos reducidos y por grupos particulares. A Tobar García le hace falta pulir la técnica; ha escrito mucho y tiene capacidades, pero no está definido todavía, seguramente por falta de una tradición que le oriente.

En la República Dominicana, las tres primeras décadas del siglo vieron casi exclusivamente sainetes de poca monta, y solamente con la generación joven se está desarrollando alguna actividad. Entre este grupo hay dos de promesa bastante lograda, MAXIMO AVILES BLONDA (1931) y FRANKLIN DOMINGUEZ (1931). Avilés Blonda es fundador y director del Teatro Universitario, además de dramaturgo; en *Las manos vacías* (1959), despierto a las nuevas corrientes estudia la mutilación espiritual de los tocados por la guerra. Domínguez va progresando de manera rápida y versátil; ha cultivado el teatro de títeres (*La niña que quería ser princesa*), la farsa divertidísima de proyecciones subyacentes (*La broma del senador*), el freudismo, con menos éxito (*La espera*) y el monólogo, *El último instante,* estudio acerca de la dignidad humana, llevado a cabo con imaginación, pero algo confuso.

En el Paraguay, aparte la obra sobradamente melodramática de JOSE ARTURO ALSINA (1889), el panorama tiene perfil particular: el teatro en guaraní. En este movimiento han colaborado las dos figuras de cierta importancia en el teatro en español, ROQUE CENTURION MIRANDA (1909) y JOSEFINA PLA, española de nacimiento pero radicada en Asunción desde 1926. Además de colaborar los dos en obras en guaraní de fuerte espíritu localista, Centurión Miranda ha escrito en español diversas obras de orientación social; es fundador de Teatro del Pueblo (1942) y la Escuela Municipal de Artes Escénicas (1950). La obra de Josefina Plá se divide en teatro didáctico universalista y teatro localista, la mayor parte en guaraní.

BIBLIOGRAFIA: Agustín del Saz, *Teatro hispanoamericano*, t. 2, Barcelona, Vergara, 1963; Hernán Rodríguez Castelo, "Teatro ecuatoriano", *Cuadernos Hispanoamericanos*, LVIII, 172 (abril 1964, 8-119); Carlos Solórzano, *Teatro latinoamericano en el siglo XX*, México, Pormaca, 1964; Rodrigo Villacis Molina, "El teatro en Quito", *Letras del Ecuador*, XVI, 120 (enero-feb. 1961), Luis Llanos Aparicio, "Rumbo del teatro boliviano", *Platea*, 11-12 (agosto 1952), 47, 73 y 75-76.

BIBLIOGRAFIA GENERAL

A pesar de que el teatro ha sido el género menos estudiado y conocido de las letras hispanoamericanas, existe una bibliografía de crítica relativamente amplia, si bien lamentablemente desigual. No figuran en nuestra bibliografía estudios generales de la literatura a menos que sean de importancia especial para el estudio del teatro; el lector debe consultar también las bibliografías correspondientes a períodos y autores incluidas en el texto. Imprescindibles para el conocimiento del teatro moderno son las revistas, algunas especializadas, que suelen publicar obras y crítica. Entre las más importantes figuran la *Rev. de Estudios de Teatro* (1960——), *Cuadernos de Arte Dramático* (1951-1954), *Cuadernos de Cultura Teatral* (1936-1945) y *Talía* (1953——) (Río de la Plata), *Casa de las Américas* (1961——) y *Revista Unión* (1962?——) (Cuba), *Apuntes* (1960——) y *Escenario* (1961——) (Chile), *Cuadernos de Bellas Artes* (1960 ——), *La Palabra y el Hombre* (1957——), *Panorama del teatro en México* (1954-1955) y *Teatro: Boletín de información e historia* (1954-1956) (México), *Escena* (1953-1956) (Perú), *Rev. del Instituto de Cultura Puertorriqueña* (1957?——) (Puerto Rico), además de revistas generales como *Sur, Cuadernos Americanos, Asomante,* etc., que incluyen a veces materia referente al teatro. Deben consultarse asimismo revistas extranjeras que suelen publicar obras e informes hispanoamericanos (*Primer Acto,* 1957——; *Teatro,* 1952-1957; *World Theatre,* 1950——, etc.) Recomiéndase la sección de teatro del *Handbook of Latin American Studies,* bibliografía crítica anual preparada por la Fundación Hispánica de la Biblioteca del Congreso de los Estados Unidos de Norteamérica.

GENERAL

Arrom, José Juan. *Esquema generacional de las letras hispanoamericanas. Ensayo de un método.* Bogotá, Instituto Caro y Cuervo, 1963.
——. "Perfil del teatro contemporáneo en Hispanoamérica". *Hispania,* XXXVI, 1 (feb. 1953), 26-31; *Certidumbre de América,* La Habana, Anuario Bibliográfico Cubano, 1959, 131-144.
Arrufat, Antón, y otros. "Charla sobre teatro". *Casa de las Américas,* II, 9 (nov-dic. 1961), 88-102; *Odyssey Review,* II, 4 (dec. 1962), 248-263 (tr. al inglés de Duard MacInnes).
Del Saz. Agustín. *Teatro hispanoamericano.* 2 tomos. Barcelona, Vergara, 1963.
Englekirk. John E. "El teatro folklórico hispanoamericano". *Folklore Américas,* XVII, 1 (junio 1957), 1-36.
Festival de Teatro Latinoamericano. Jornadas de teatro leído. La Habana, Casa de las Américas, 1964 (serie mimeografiada de estudios generales).
Jones, Willis Knapp. *Antología del teatro hispanoamericano.* México, Studium, 1959.
——. *Breve historia del teatro latinoamericano.* México, Studium, 1956.
Rela, Walter. "Frecuencia del tema regional en el teatro sudamericano". *Anales de la Univ. de Chile,* año CXVIII (1960), 117, 195-201.
——. "Literatura dramática suramericana contemporánea", *Universidad,* Santa Fe, Arg., 36 (dic. 1958), 147-170; *Rev. del Instituto de Estudios Superiores,* Montevideo, I, 2 (enero-junio 1957), 104-124.

Solórzano, Carlos. *El teatro hispanoamericano contemporáneo. Antología.* 2 tomos. México, Fondo de Cultura Económica, 1964.

——. *Teatro latinoamericano del siglo XX.* B. A., Edit. Nueva Visión, 1961.

——. *Teatro latinoamericano en el siglo XX.* México, Pormaca, 1964.

"El teatro en Latinoamérica: Mesa redonda". *Comentario,* Buenos Aires, VI, 22 (primera entrega, 1959), 21-29.

Teatro latinoamericano contemporáneo: Información. Serie de folletos preparados por la Casa de las Américas, La Habana, 1963-1964.

COLOMBIA

Ortega Ricaurte, José Vicente. *Historia crítica del teatro en Bogotá.* Bogotá, Ediciones Colombia, 1927.

CUBA

Arrom, José Juan. *Historia de la literatura dramática cubana.* New Haven, Yale University Press, Yale Romanic Studies-XXIII, 1944.

Bueno, Salvador. *Medio siglo de literatura cubana.* La Habana, Comisión Nacional Cubana de la UNESCO, 1953.

González Freire, Natividad. *Teatro cubano 1928-1961.* La Habana, Ministerio de Relaciones Exteriores, 1961.

CHILE

Bencic Juricic, Zlatko. *Historia del teatro en Chile.* Santiago, Editorial Universitaria, 1953.

Durán Cerda, Julio. *Panorama del teatro chileno, 1842-1959.* Santiago, Edit. del Pacífico, 1959.

——. *Repertorio del teatro chileno.* Santiago, Instituto de Literatura Chilena, 1962.

——. "El teatro chileno moderno". *Anales de la Univ. de Chile,* año CXXI, 126 (enero-abril 1963), 168-203.

Rela, Walter. *Contribución a la bibliografía del teatro chileno, 1804-1960.* Noticia preliminar de Ricardo A. Latcham. Montevideo, Univ. de la República, 1960.

MEXICO

Bellini, Giuseppe. *Teatro messicano del novecento.* Milano, Instituto Editoriale Cisalpino, 1959.

Lamb, Ruth S. *Bibliografía del teatro mexicano del siglo XX.* México, Col. Studium-33, 1962.

—— y Antonio Magaña Esquivel. *Breve historia del teatro mexicano.* México, Manuales Studium-8, 1959.

Magaña Esquivel, Antonio. *Imagen del teatro.* México, Edics. Letras de México, 1940.

——. *Medio siglo de teatro mexicano, 1900-1961.* México, Instituto Nacional de Bellas Artes, 1964.

——. *Sueño y realidad del teatro.* México, Instituto Nacional de Bellas Artes, 1949.

Maura Ocampo de Gómez, Aurora. *Literatura mexicana contemporánea. Biobibliografía crítica.* México, Univ. Nacional Autónoma de México, 1965.

Monterde, Francisco. *Bibliografía del teatro en México.* Pról. "Caminos del teatro en México" de Rodolfo Usigli. México, Monografías Bibliográficas Mexicanas, 1934.

Olavarría y Ferrari, Enrique de. *Reseña histórica del teatro en México*. Pról. de Salvador Novo. Puesto al día por David N. Arce. México, Edit. Porrúa, 1961.

El teatro en México. México, Instituto Nacional de Bellas Artes. T. 1, 1958; t. 2, 1964.

Teatro mexicano del siglo XX. 3 tomos, con prólogos de Francisco Monterde, Antonio Magaña Esquivel y Celestino Gorostiza. México, Fondo de Cultura Económica, 1956.

Usigli, Rodolfo. *México en el teatro*. México, Imp. Mundial, 1932.

PUERTO RICO

Pasarell, Emilio J. *Orígenes y desarrollo de la afición teatral en Puerto Rico*. San Juan, Univ. de Puerto Rico, 1951.

Sáez, Antonia. *El teatro en Puerto Rico*. San Juan, Edit. Universitaria, 1950.

RÍO DE LA PLATA

Berenguer Carisomo, Arturo. *Las ideas estéticas en el teatro argentino*. Buenos Aires. Comisión Nacional de Cultura, Instituto Nacional de Estudios de Teatro, 1947.

Bosch, Mariano G. *Historia de los orígenes del teatro nacional argentino y la época de Pablo Podestá*. Buenos Aires, L. J. Rosso. 1929.

——. *Historia del teatro en Buenos Aires*. Buenos Aires, Editorial El Comercio, 1910.

Castagnino, Raúl H. *El circo criollo. Datos y documentos para su historia*, Buenos Aires, Lajouane, 1953.

——. *Esquema de la literatura dramática argentina (1717-1949)*. Buenos Aires, Instituto de Historia del Teatro Americano, 1950.

Dibarboure, José Alberto. *Proceso del teatro uruguayo, 1808-1938*. Montevideo, Claudio García, 1940.

Foppa, Tito Livio. *Diccionario teatral del Río de la Plata*. Buenos Aires, Argentores, Ediciones del Carro de Tespis, 1961.

Ghiano, Juan Carlos. *Constantes de la literatura argentina*. Buenos Aires, Raigal, 1953.

Marial, José. *El teatro independiente*. Buenos Aires, Alpe, 1955.

Morales. Ernesto. *Historia del teatro argentino*. Buenos Aires. Lautaro, 1944.

Ordaz, Luis. *Breve historia del teatro argentino*. 6 tomos. Buenos Aires, Edit. Universitaria, 1962——. Antología comentada.

——, sel., est. prelim. v notas. *El drama rural*. Buenos Aires, Hachette, 1959.

——. *El teatro en el Río de la Plata*, 2ª ed. Buenos Aires, Edics. Leviatán, 1957.

Scoseria, Cyro. *Un panorama del teatro uruguayo*. Montevideo, Publicaciones AGADU, 1963.

EL SALVADOR

Gallegos Valdés, Luis. *El teatro en El Salvador*. San Salvador, Bellas Artes, 1961.

VENEZUELA

Liscano, Juan. "Cientocincuenta años de cultura venezolana". En: *Venezuela independiente, 1810-1960*. Caracas, Fundación Eugenio Mendoza. 1962, 625-631.

INDICE DE DRAMATURGOS HISPANOAMERICANOS

Acevedo Hernández, Antonio, 61, 62
Acuña, Manuel, 13
Aguilera Malta, Demetrio, 111
Aguirre, Isidora, 90
Alberdi, Juan Bautista, 19
Alfonso, Paco, 95
Algarra, María Luisa, 86
Alsina, José Arturo, 112
Alvarez Lleras, Antonio, 105
Allende, Juan Rafael, 18
Ancira, Carlos, 87
Angulo Guridi, Javier, 17
Aragón, José Emilio, 109-110
Arlt, Roberto, 51
Armas y Cárdenas, José de, 16
Arocho del Toro, Gonzalo, 70
Aróstegui, Abdón, 28
Arriví, Francisco, 71-72
Arrufat, Antón, 98, 99
Asturias, Miguel Angel, 109
Avilés Blonda, Máximo, 112
Ayala Michelena, Leopoldo, 106, 107
Azar, Héctor, 87

Badía, Nora, 96
Baralt, Luis A., 66
Barceló, Simón, 106
Barletta, Leónidas, 47
Barra, Pedro de la, 89
Barrios, Eduardo, 62-63
Barros Grez, Daniel, 18, 61
Basurto, Luis G., 85, 86
Beccaglia, Juan María, 77
Belaval, Emilio, 69, 70
Belgrano, Manuel, 8
Bellán, José Pedro, 35
Bello, Carlos, 17-18
Benedetti, Mario, 79
Béneke, Walter, 110
Bernal, Rafael, 86
Berruti, Alejandro, 34
Bianchi, Alberto, 13
Blanco Amor, Eduardo, 78
Blest Gana, Alberto, 18
Borges, Fermín, 97
Bourbakis, Roberto, 96

Brau, Salvador, 17
Brene, José, 98, 100
Buch, René, 97
Buenaventura, Enrique, 106
Bunster, Enrique, 90
Bustillo Oro, Juan, 58-59

Caballero, R. C. F., 17
Caicedo Rojas, José, 19
Caldera, Daniel, 18
Calderón, Fernando, 11, 12
Canal Feijóo, Bernardo, 51
Canales, Nemesio, 69
Candil, Mario, 9
Cantón, Wilberto, 85-86
Carballido, Emilio, 81-82
Carlino, Carlos, 50-51
Castañeda, Padre F., 8
Castro Fernández, Alfredo, 111
Centurión Miranda, Roque, 112
Certad, Aquiles, 106, 107
Collao, 8
Coronado, Martín, 27-28
Coronel Urtecho, José, 110
Corpancho, Manuel, 15
Cossa, Roberto, 78
Covarrubias, Francisco, 15, 16
Crespo y Borbón, Bartolomé, 16
Cuadra, Pablo Antonio, 110
Cuzzani, Agustín, 76

Chalbaud, Román, 107
Chavero, Alfredo, 13
Chávez Velasco, Waldo, 110
Chioino, José, 101
Chocrón, Isaac, 107, 108

Damel, Carlos S., 51
Darthes, Camilo, 51
Dávalos, Marcelino, 42
Debesa, Fernando, 90-91
Defillipis Novoa, Francisco, 37, 38
Denevi, Marco, 77
Deugenio, Rubén, 79
Díaz Díaz, Oswaldo, 105-106
Díaz Dufoo, Carlos, 44

Díaz Gutiérrez, Jorge, 92-93
Díaz Sánchez, Ramón, 106-107
Díez Barroso, Víctor Manuel, 42, 43, 44
Discépolo, Armando, 37-38
Domínguez, Franklin, 112
Domínguez Arbelo, Juan, 67
Dragún, Osvaldo, 76

Echagüe, Pedro, 19
Eichelbaum, Samuel, 48-49, 51
Enríquez Sarano, Gilda, 79
Ernhard, James: ver Pérez de Arce, Camilo
Espineira, Antonio, 18
Estorino, Abelardo, 98

Fábregat Cúneo, Roberto, 79-30
Felipe, Carlos, 95, 96
Fernández, Francisco, 27
Fernández de Lizardi, José Joaquín 9
Fernández Madrid, José, 9
Ferreira, Ramón, 97
Ferrer, Rolando, 96-97
Ferreti, Aurelio, 77, 78
Foxá, Francisco Javier, 15, 17

Galich, Manuel, 109
Gallegos, Rómulo, 106
Gamarra, Abelardo, 14-15
Gamboa, Fernando, 41-42
Gamboa, José Joaquín, 42, 43
García Velloso, Enrique, 33,36
Garnier, José Fabio, 110-111
Garro, Elena, 23, 84-85
Gavidia, Francisco, 109
Gibson Parra, Percy, 102
Gómez de Avellaneda, Gertrudis, 15-16
González Castillo, José, 35
González Pacheco, Rodolfo, 34
Gorostiza, Carlos, 75-76, 107
Gorostiza, Celestino, 23, 53, 54
Gorostiza, Manuel Eduardo de, 12-13
Gramcko, Ida, 108
Granada, Nicolás, 28
Guillén, Horacio, 50
Gutiérrez, Eduardo, 26
Guzmán Améstica, Juan, 92
Guzmán Cruchaga, Juan, 63

Heiremans, Luis Alberto, 91
Henríquez, Camilo, 8, 17
Heredia, José María, 8
Hernández, Leopoldo, 97

Hernández, Luisa Josefina, 82-83
Herrera, Ernesto, 31

Ibargüengoitia, Jorge, 85
Icaza, Jorge, 111
Imbert, Julio, 77
Imhof, Francisco, 35
Inclán, Federico S., 86-87
Isaacs, Jorge, 19
Izquierdo, Domingo Antonio, 18

Jiménez Rueda, Julio, 44
Josseau, Fernando, 92

Kraly, Nestor, 78

Laferrère, Gregorio de, 32
Laguerre, Enrique, 73
Larreta, Antonio, 79
Lazo, Agustín, 57-58
Leguizamón, Martiniano, 27
Lira, Miguel N., 58
Lizárraga, Andrés, 77
Lozano García, Carlos, 42, 44
Lozano García, Lázaro, 42, 44
Luco Cruchaga, Germán, 61, 62

Llanderas, Nicolás de las, 51
Llerena, José, 109, 110
Llorens Torres, Luis, 69

Magallanes Moure, Manuel, 62
Magaña, Sergio, 83
Magdaleno, Mauricio, 58
Maggi, Carlos, 79
Malfatti, Arnaldo, 51
Manet, Eduardo, 97
Mármol, José, 19
Marqués, René, 71, 72-73
Marsicovétere y Durán, Manuel, 108 109
Martí, José, 16
Martínez, José de Jesús, 111
Martínez Cuitiño, Vicente, 35
Médiz Bolio, Antonio, 42
Méndez Ballester, Manuel, 70-71
Méndez Quiñones, Ramón, 17
Mendoza, Héctor, 85
Menéndez, Roberto Arturo, 110
Meza Nicholls, Alejandro, 105
Milanés, José Jacinto, 15
Millán, José Agustín, 16
Minvielle, Rafael, 17-18
Mitre, Bartolomé, 19
Molleto Labarca, Enrique, 92

Monterde, Francisco, 42, 44
Montes Huidobro, Matías, 97
Montes López, José, 67
Montoro Agüero, José G., 97-98
Moock, Armando, 61-62
Morante, Luis Ambrosio, 7
Moratorio, Orosmán, 28
Moreno, Luis, 87

Nalé Roxlo, Conrado, 48, 50, 51
Noriega Hope, Carlos, 42, 44
Noción, Alberto, 51
Novo, Salvador, 57, 81

Ocampo, María Luisa, 58
Olivari, Carlos, 51
Ortega, Francisco L., 8-9
Ortiz de Montellano, Bernardo, 58
Osorio, Luis Enrique, 105
Othón, Manuel José, 13, 14

Pacheco, Carlos Mauricio, 37
Pagano, José León, 34
Palant, Pablo, 77-78
Parada León, Ricardo, 42, 44
Pardo y Aliaga, Felipe, 14
Pasos, Joaquín, 110
Payró, Roberto J., 32-33
Peña, David, 34
Peón y Contreras, José, 13-14
Pérez de Arce, Camilo, 90
Pérez Petit, Víctor, 34
Pico, Pedro E., 34
Pichardo Moya, Felipe, 66-67
Piñera, Virgilio, 95-96
Plá, Josefina, 112
Pondal Ríos, Sixto, 51
Ponferrada, Juan Oscar, 50

Ramos, José Antonio, 65
Rechani Agrait, Luis, 70
Reguera, Saumell, Manuel, 98, 99
Régules, Elías, 28
Rengifo, César, 107
Requena, María Asunción, 90
Retes, Ignacio, 81,86
Reyes, Alfonso, 58
Reyes, Germán, 105
Reyes, José Trinidad, 19
Riera Pinilla, Mario, 111
Ríos, Juan, 102
Rivera Alvarez, Edmundo, 73
Robles Arenas, J. H., 86
Robleto, Hernán, 110
Roca Rey, Bernardo, 102

Rodríguez, Yamandú, 35
Rodríguez Expósito, César, 67
Rodríguez Galván, Ignacio, 11-12
Rodríguez Vélez, Benicio, 95
Rojas, Manuel, 90
Rojas, Ricardo, 33
Rosas Moreno, José, 13
Rosencof, Mauricio, 79

Sada, Concepción, 58
Salazar Bondy, Sebastián, 101-102
Salinas, Marcelo, 67
Samper, José María, 19
Samper Ortega, Daniel, 105
Sánchez, Florencio, 29-31, 36, 62
Sánchez, Luis Rafael, 73
Sánchez Galarraga, Gustavo, 65-66
Sánchez Gardel, Julio, 31-32
Sánchez Mayans, Fernando, 87
Sánchez Varona, Ramón, 66
Sarah, Roberto, 89-90
Sassone, Felipe, 101
Segura, Manuel Ascensio, 14
Sierra Berdecía, Francisco, 70
Sieveking, Alejandro, 91-92
Silva, Víctor Domingo, 62
Silva Valdés, Fernán, 80
Solana, Rafael, 86
Solari Swayne, Enrique, 102-103
Solórzano, Carlos, 84
Soria, Ezequiel, 36-37
Storni, Alfonsina, 33-34

Tapia y Rivera, Alejandro, 17
Terbay, Andrés: ver Sarah, Roberto
Thomás, José de, 77
Tobar García, Francisco, 112
Trejo, Nemesio, 36
Triana, José, 98, 99-100

Usigli, Rodolfo, 55-57
Uslar Pietri, Arturo, 108

Vacarezza, Alberto, 36, 37
Varela, Juan Cruz, 8
Vargas Tejada, Luis, 9
Vera, Pedro Jorge, 111
Vial, Román, 18
Villaroel, Dinka de, 90
Villaurrutia, Xavier, 53, 54, 55, 57
Vodánovic, Sergio, 92

Wainer, Alberto, 78
Wolff, Egón, 91

Yeroví, Leónidas, 101

INDICE DE MATERIAS

Palabras iniciales 5
I. Epoca de la Independencia 7
II. Siglo XIX: Romanticismo y costumbrismo 11
III. Introducción al teatro contemporáneo de Hispanoamérica 21
IV. El auge del teatro rioplatense: 1884-1930 25
   El sainete criollo 35
V. El teatro mexicano: 1900-1930 41
VI. La renovación rioplatense: 1930-1949 47
VII. La renovación mexicana: 1928-1950 53
VIII. El teatro chileno hasta 1941 61
IX. El teatro en Cuba antes de la Guerra 65
X. El teatro puertorriqueño 69
XI. El teatro rioplatense de la posguerra 75
XII. El nuevo teatro mexicano 81
XIII. El teatro chileno actual 89
XIV. El nuevo teatro cubano 95
XV. El teatro peruano en el siglo XX 101
XVI. El teatro en los otros países 105
   Colombia 105
   Venezuela 106
   Guatemala 108
   Otros países centroamericanos 109
   Otros países 111
Bibliografía general 113
Indice de dramaturgos hispanoamericanos 117
Indice de materias 121

Este libro —tomo IV de la serie *Historia Literaria de Hispanoamérica*—, se
acabó de imprimir el día 2 de enero
de 1967 en los talleres de "Impresora
Juan Pablos", S. A., Donato Guerra
5. México, D. F. La edición estuvo
al cuidado de Ismael Viadiú y consta
de 950 ejemplares más 50 fuera de
comercio, todos numerados.

EJEMPLAR

Nº   594